CW00410280

El hombre
que calculaba

MALBA TAHAN

El hombre que calculaba

Pluma y Papel
Ediciones

Tahan, Malba
El hombre que calculaba / dirigido por Marcelo Caballero ; edición literaria a cargo de: Mónica Piacentini - 2a ed. - Buenos Aires : Pluma y Papel, 2006.
240 p. ; 23x16 cm.

ISBN 987-1021-60-7

1. Recreación-Matemática. I. Caballero, Marcelo, dir. II. Mónica Piacentini, ed. lit. III. Título
CDD 796.1

andamiaje | COLECCIÓN

Traducción: Carlos W. Villazón
Diseño de tapa: PensArte
Imagen de tapa: Daniela López de Casenave
Diseño de interior: m&s estudio editorial

ISBN 10: 987-1021-60-7
ISBN 13: 978-987-1021-60-4

Pluma y Papel Ediciones
Juncal 4651
C1425BAE - Buenos Aires - Argentina
plumaypapel@delnuevoextremo.com

Queda hecho el depósito de Ley 11.723

Impreso en Argentina
Printed in Argentina

Capítulo I

En el que narro las singulares circunstancias de mi encuentro con un viajero, camino de la ciudad de Samarra, en la ruta a Bagdad. Qué hacía dicho viajero y cuáles fueron sus palabras.

¡En el nombre de Allah[1], Clemente y Misericordioso!

En cierta ocasión, iba por el camino de Bagdad, al paso lento de mi camello y de vuelta de un viaje a la famosa ciudad de Samarra[2], ubicada en las orillas del río Tigris[3], cuando descubrí a un viajero, sentado en una piedra, y modestamente vestido, que parecía descansar de los esfuerzos de alguna travesía.

Estaba a punto de dirigir al desconocido el *salam*[4] trivial de los caminantes cuando, asombrado, vi que se levantaba para hablar lentamente:

–Un millón, cuatrocientos veintitrés mil, setecientos cuarenta y cinco...

Volvió a sentarse y guardó silencio mientras apoyada la cabeza en las manos, parecía estar perdido en las profundidades de alguna meditación.

Me acerqué y me quedé mirándolo como si me encontrara frente a un monumento histórico perteneciente a los tiempos de leyenda.

Poco tiempo después, el hombre se levantó de nuevo y, con voz pausada y clara, pronunció otra cifra igualmente fabulosa:

1. *Allah* o *Ala*. Dios. Nombre que dan los musulmanes al Creador.
2. Samarra. Ciudad de Irak.
3. Tigris. Río de Asia interior, desemboca en el Golfo Pérsico junto al Éufrates.
4. *Salam*. Saludo árabe. Significa Paz.

–Dos millones, trescientos veintiún mil, ochocientos sesenta y seis...

De esta misma manera, así varias veces, el intrigante viajero se irguió y, en voz alta, dijo un número de varios millones, para luego volver a sentarse sobre la inmutable piedra del camino.

Sin poder contener mi curiosidad, me acerqué aún más al desconocido, y luego de saludarlo en nombre de *Allah –con Él sean la oración y la gloria*, pregunté por el significado de aquellos números, que sólo podían guardar un lugar en cuentas gigantescas.

–Forastero, respondió el hombre, no repruebo la curiosidad que te ha hecho perturbar mis cálculos y la tranquilidad de mis pensamientos. Ya que te dirigiste a mí en forma delicada y cortés, estoy dispuesto a atender a tus deseos. Pero, para ello, antes necesito contarte la historia de mi vida.

Luego hizo el siguiente relato, que debido a su interés transcribiré con toda fidelidad:

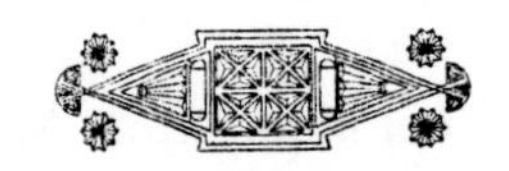

Capítulo II

Beremiz Samir, el Hombre que Calculaba, relata la historia de su vida. Cómo me enteré de los cálculos prodigiosos que practicaba y cómo nos convertirnos en compañeros de viaje.

–Me llamo Beremiz Samir y nací en la pequeña aldea de Khoi,[5] en Persia,[6] nací a la sombra de la gran pirámide formada por el monte Ararat[7]. Siendo todavía muy joven comencé a trabajar como pastor de un rico señor de Khamat[8].

Cada día, al amanecer, llevaba un gran rebaño a los pastos y debía devolverlo a su redil antes de que llegara la noche. Por miedo a perder alguna oveja y ser, por tal causa, castigado con severidad, las contaba varias veces al día.

Así es como fui adquiriendo, poco a poco, semejante habilidad para contar que, a veces, de una simple mirada contaba sin error todo el rebaño. Aún no conforme con eso, empecé a ejercitarme contando bandadas de pájaros que veía volar por el cielo.

Así fui volviéndome muy hábil en este arte. Después de unos meses –gracias a ininterrumpidos ejercicios contando hormigas y demás insectos– logré realizar la prueba increíble de contar la totalidad de las abejas de un enjambre. Este logro como calculador, sin embargo, quedaría pequeño frente a los que llegarían más tarde. Mi amo era generoso y poseía, en dos o tres alejados oasis[9], importantes plantacio-

5. Khoi. Pequeña aldea persa, en el valle del Ararat.
6. Persia. Actualmente Irán, reino de Asia Interior.
7. Ararat. Montaña de Anatolia, Asia Interior.
8. Khamat de Maru. Ciudad de Persia. Al pie del monte Ararat.
9. Oasis. Lugar con vegetación y aislado en el desierto.

nes de datileras, e informado de mis recursos matemáticos, me eligió para dirigir la venta de los frutos, que así debía contarlos, uno a uno, de cada racimo. Trabajé en el reducto de las palmeras casi diez años. Feliz con las ganancias que le proporcioné, mi buen patrón acabó por concederme cuatro meses de reposo, y así, ahora voy hacia Bagdad[10] porque quiero visitar a algunos parientes y contemplar la belleza de las mezquitas y el lujo suntuoso de los palacios de la gran ciudad. Para no perder el tiempo en el camino, me ejercito contando los árboles de la región, las flores que realzan el paisaje y los pájaros que nunca faltan entre las nubes del cielo.

Me señaló una vetusta higuera que se erguía a muy poca distancia, siguió hablando:

–Ese árbol, por ejemplo, cuenta con doscientas ochenta y cuatro ramas. Conociendo que cada una de las ramas tiene como promedio trescientas cuarenta y siete hojas, es muy fácil saber que el árbol tiene un total de noventa y ocho mil quinientas cuarenta y ocho hojas. ¿No le parece simple, amigo mío?[11]

10. Bagdad. Capital del Irak.

11. El Calculador en este caso efectuó, mentalmente, el producto de 284 por 347. La operación es considerada muy simple ante los cálculos prodigiosos que realizan los matemáticos más famosos.

El americano Arthur Griffith. nacido en Indiana, realizaba mentalmente, en veinte segundos, la operación de dos números de nueve cifras; cada uno.

En el siglo XVIII, el Inglés Jadedish Buxton efectuó una multiplicación con dos números de 42 cifras cada uno. Sin embargo un alemán, Zacarías Dase, que comenzó a los quince años la carrera de calculador, superó los mayores carprodigios operando con factores de cien cifras cada uno. Dase, mentalmente, realizaba la extracción de raíces cuadradas de números entre 80 y 100 cifras cada uno, en sólo 42 minutos. Además, utilizó su habilidad en la continuación de los trabajos de Burkhard sobre las tablas de números primos comprendidos entre 7.000.000 y 10.000.000.

Tanto en Dase como en otros numerosos casos de calculadores famosos hay que resaltar que sus conocimientos sólo se limitaban a la reglas de cálculo. En lo demás, su ignorancia era lamentable.

Entre el resto de famosos calculadores podemos destacar Maurice Dagobert, francés; Tom Fuller, norteamericano y Giacomo Inaudi, italiano.

—¡Una maravilla! —exclamé asombrado—. Es fantástico que un hombre, de una mirada, pueda contar las ramas de un árbol o las flores de cualquier jardín...

Esta proeza puede procurar inmensas riquezas a cualquiera...

—¿Usted cree? —se intrigó Beremiz—. Nunca se me ocurrió pensar que contando las hojas de los árboles y los enjambres de abejas alguien pudiera ganar dinero. ¿A cuántos puede interesarle la cantidad de ramas que tiene un árbol o cuántos son los pájaros que forman la bandada que acaba de cruzar por el cielo?

—Su habilidad es admirable —le expliqué— puede ser útil en veinte mil casos distintos. En una capital como Constantinopla[12] o incluso en la misma Bagdad, usted sería un auxiliar de gran importancia para el Gobierno. Usted podría calcular poblaciones, ejércitos y rebaños. Le sería muy fácil calcular los recursos del país, el valor de lo cosechado, los impuestos, las mercaderías y cada uno de los recursos del Estado. Sé, por las relaciones que tengo, soy bagdalí, que no será difícil para usted obtener algún puesto sobresaliente junto al califa Al-Motacén[13], nuestro amo y señor. Quizá llegue al cargo de visir-tesorero o tal vez se desempeñe como secretario de Hacienda musulmán.

—Si así es, no lo dudo —respondió el calculador—. Seguiré hacia Bagdad.

Y sin más consideraciones se acomodó en mi camello —el único que teníamos—, e iniciamos la marcha por el extenso camino que nos llevaría hacia la gloriosa ciudad.

Desde este día, juntos por un encuentro casual en medio de la árida ruta, fuimos compañeros y amigos inseparables.

Beremiz era un hombre de carácter alegre y comunicativo. Era muy joven todavía —no había cumplido aún los veintiséis años—,

12. Constantinopla. Ciudad y puerto de Turquía. Su nombre actual es Estambul.
13. Al-Motacén. Califa de Bagdad. Subió al trono en el año 1242.

contaba con una inteligencia notoriamente viva y tenía evidentes aptitudes para dominar la ciencia de los números.

A veces formulaba, sobre las cuestiones más triviales de la vida, relaciones impensadas que denotaban su agudeza matemática. También sabía de contar historias y narraba anécdotas que iban ilustrando su conversación, aunque ésta, por sí misma, siempre atrapaba oyentes curiosos.

Otras veces se mantenía en silencio durante varias horas, se encerraba en un mutismo inquebrantable, meditando sus cálculos prodigiosos. En dichas ocasiones trataba de no molestarlo. Lo dejaba tranquilo para que pudiera desarrollar, con las bondades de su memoria extraordinaria, descubrimientos maravillosos en los misteriosos arcanos[14] de la ciencia Matemática, que tanto cultivó y engrandeció el pueblo árabe.

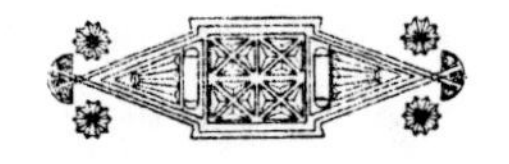

14. Arcano. Recóndito, secreto.

Capítulo III

Donde se cuenta la particular aventura de los treinta y cinco camellos que debían ser repartidos entre tres hermanos árabes. Cómo Beremiz Samir, el Hombre que Calculaba, logró un trato que parecía casi imposible, dejando totalmente conformes a los tres interesados.

La ganancia sorpresiva que obtuvimos en la transacción.

Habían pasado unas pocas horas de viaje ininterrumpido cuando sucedió una aventura, digna de ser contada, en la que Bererniz, mi compañero, con un gran despliegue de talento, demostró en la práctica sus habilidades de genio de la ciencia matemática.

En las cercanías de un antiguo y casi abandonado refugio de caravanas, vimos a tres hombres que discutían apasionadamente a un lado de un grupo de camellos.

Entre los gritos y los insultos, en la plenitud de la disputa, agitando los brazos como poseídos, se escuchaban distintas exclamaciones:

–¡No puede ser!

–¡Esto es un robo!

–¡Yo no estoy para nada de acuerdo!

Entonces Beremiz intentó informarse sobre el tema en discusión.

–Somos hermanos –explicó el mayor de los hombres– y hemos recibido como herencia 35 camellos. Según la voluntad de mi padre, me corresponde la mitad de los animales; a mi hermano Hamet Namir, la tercera parte; y a Harim, el más joven, la novena parte. Pero no sabemos cómo realizar la división, y en cada intento de reparto propuesto, la palabra de uno de nosotros va seguida de la negativa por parte de los otros dos. No ha aparecido un resultado que conforme en ninguna de las particiones ofrecidas. Si la mitad de 35 camellos es 17 y medio, si su tercera parte y también la novena de la cantidad en cuestión, tampoco son exactas, ¿cómo proceder a la división?

—Muy fácil —dijo el Hombre que Calculaba—. Me comprometo a realizar con equidad el reparto, pero antes permítanme que junte a los 35 camellos heredados este maravilloso animal que hasta aquí nos trajo en buena hora.

Aquí intervine en la situación.

—¿Cómo puedo aprobar semejante desatino? ¿Cómo podremos seguir con nuestro viaje si perdemos el camello?

—Que no te preocupe, bagdalí —dijo, en voz muy baja, Beremiz—, conozco bien lo que estoy a punto de hacer. Préstame el camello y verás a qué conclusión arribamos.

El tono de seguridad empleado para hablarme hizo que le entregara, sin la menor duda, mi hermoso *jamal*[15] que, al instante, pasó a engrosar la cáfila[16] que sería repartida entre los tres hermanos herederos.

—Amigos —dijo—,voy a hacer la división de los que ahora, como pueden apreciar, son 36 camellos, de manera justa y exacta.

Se volvió hacia el mayor de los hermanos, y habló de esta manera:

—Deberías recibir, amigo mío, la mitad de los 35 animales, o sea, 17 y medio. Ahora bien, recibirás la mitad de 36 y, por tanto, serán 18. No tienes reclamo que hacer, ya que sales beneficiado en esta operación.

Se dirigió al segundo de los herederos, dijo:

—Tú, Hamed, deberías recibir un tercio de 35, o sea, 11 y un poco más. Entonces tendrás un tercio de 36, esto es, 12. No habrá protestas, porque tú también sales con ventaja en esta división.

Por último dijo al más joven:

15. *Jamal*. Una de las denominaciones que los árabes dan al camello.

16. Cáfila. Grupo numeroso de animales.

–Tú, joven Harim Namir, según la última indicación de tu padre, tendrías que beneficiarte con una novena parte de 35, es decir, 3 camellos y parte de otro. Pero, te entregaré la novena parte de 36, o sea 4. Será también apreciable tu ventaja y bien podrías decirme gracias por el resultado.

Luego terminó la cuestión con la mayor claridad:

–Debido a este generoso reparto que a todos ha ayudado, corresponden 18 camellos al primero de ustedes, 12 al segundo y 4 al tercero, la suma de las cantidades tiene como resultado (18 + 12 + 4) 34 camellos. De los 36 camellos, quedan sobrando dos. Uno, como bien saben, es propiedad del bagdalí, mi amigo y compañero aquí presente; y el restante es lógico que me corresponda a mí, por haber solucionado, en forma satisfactoria, este enredado problema de la herencia.

–Eres inteligente, viajero –pronunció el más viejo de los hermanos–, y aceptaremos el reparto propuesto con la confianza de que fue justo y equitativo.

El hábil Beremiz* hizo suyo uno de los más hermosos jámales del grupo y me dijo, alcanzándome la rienda de mi animal:

–Ahora sí podrás, estimado amigo, seguir el camino en tu camello, tranquilo y confiado. Ahora tengo otro animal a mi servicio.

Entonces volvimos al camino que nos llevaba hacia Bagdad.

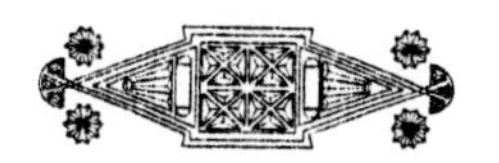

* El Hombre que Calculaba.

Capítulo IV

Sobre el encuentro con un rico jeque, que había sido herido
y que estaba hambriento.
La proposición que nos hizo sobre los ocho panes que teníamos
y cómo se resolvió, en un instante,
el justo reparto de las ocho monedas que obtuvimos a cambio.
Las tres divisiones de Beremiz: la división simple,
la división cierta y la división perfecta.
Elogiosas palabras que un destacado visir ofreció al
Hombre que Calculaba.

Luego de tres días de marcha, estábamos cerca de las ruinas de una aldea no muy grande llamada Sippar, cuando vimos caído a un lado del camino a un viajero, tenía las ropas rotas y parecía estar herido. Su aspecto era para lamentar.

Fuimos al auxilio del infeliz, y entonces él nos contó sus desventuras.

Su nombre era Salem Nasair, y era uno de los mercaderes más poderosos de Bagdad. Unos pocos días antes, regresando de la ciudad de Basora[17] con una importante caravana por el camino de el-Hilleh, fue rodeado y asaltado por un grupo de nómadas persas del desierto. Toda la caravana fue despojada, y casi todos los viajeros fueron muertos por los beduinos[18]. Nasair, el jefe, logró ocultarse entre los cadáveres de sus esclavos que estaban tirados en la arena.

17. Basora. Ciudad de Irak, a orillas del Golfo Pérsico.
18. Beduinos. Árabes nómadas del desierto.

Al terminar la relación de la historia, preguntó con voz desesperada:

—¿Traen tal vez un poco de comida? Me muero de hambre...

—Tengo tres panes —respondí.

—Y yo, llevo cinco, afirmó el Hombre que Calculaba.

—Muy bien —propuso el jeque—, ruego para que juntemos los panes y arreglemos una división justa. Cuando arribe a Bagdad pagaré con ocho monedas de oro por el pan que coma.

Así se hizo.

Fue en el día siguiente, por la tarde, cuando llegamos a la famosa ciudad de Bagdad, la perla de Oriente.

Cuando atravesábamos su maravillosa plaza, nos topamos con un gran cortejo presidido por el poderoso Ibrahim Maluf, uno de los visires, que iba montado en un caballo imponente.

El visir[19], al descubrir a Salem Nasair con nosotros, lo llamó. Hizo detener su fantástica comitiva, y preguntó:

—¿Qué te ha pasado, amigo mío? ¿Cómo es que regresas a Bagdad con tu vestimenta rota y acompañado por estos dos hombres desconocidos?

El apesadumbrado jeque contó detalladamente al ministro todo lo que había sucedido en el viaje, y ofreció a nosotros sus mayores elogios.

—Paga entonces, de inmediato, a estos dos viajeros —ordenó el gran visir—.

Tomando de su bolsa 8 monedas de oro se las entregó a Salem Nasair, dijo:

—Ahora vendrás conmigo al palacio, porque el Defensor de los Creyentes querrá la información sobre esta nueva ofensa causada por los bandidos y beduinos, que nuevamente atacan y saquean nuestras caravanas en el territorio del Califa[20].

19. Visir. Ministro de los Califas musulmanes.

20. Califa. Soberano musulmán.

Entonces Salem Nasair nos dijo:

–Me despido, amigos míos. Quiero repetir mi agradecimiento por el valioso auxilio que me han prestado. Quiero cumplir con la palabra entregada, les pagaré lo que tan generosamente me dieron.

Entonces dijo al Hombre que Calculaba:

–Tendrás las cinco monedas por tus cinco panes.

Volviéndose hacia mí, agregó:

–Y para ti, ¡Oh, bagdalí, las tres monedas por tus tres panes.

Sorpresivamente para mí, el Calculador interrumpió con respeto:

–¡Pido disculpas, oh, *jeque*![21] El reparto hecho de esta manera puede ser simple, pero no es matemáticamente correcto. Si entregué 5 panes tengo que recibir 7 monedas; mi compañero bagdalí, que ofreció 3 panes, deberá recibir solamente una sola moneda.

–*¡Por el nombre de Mahoma!*[22], interrumpió el visir Ibrahim, ya muy interesado en el caso. ¿Cómo puede sustentar este viajero el disparate de este reparto? Si ofreciste 5 panes, ¿por qué pedir 7 monedas?; y si tu compañero contribuyó con 3 panes, ¿por qué sostienes que él sólo debe recibir una moneda?

El Hombre que Calculaba se acercó al ministro y habló:

–Si me permite, voy a demostrarlo, ¡Oh, visir!; la división de las 8 monedas propuesta es matemáticamente correcta. Cuando teníamos hambre en el camino, yo extraía un pan de la caja en la que iban guardados; entonces lo dividía en tres partes y cada uno de nosotros comía la suya. Si aporté 5 panes, sumé, por lógica, 15 pedazos, ¿no es verdad? Si el bagdalí aportó 3 panes, entonces sumó 9 pedazos. Así existieron un total de 24 partes; y correspondieron, por lo tanto, 8 partes de pan para cada uno. De los 15 pedazos aportados por mí, comí 8; entonces entregué 7. Mi compañero dio, como ya se dijo, 9 pedazos y también consumió 8; luego, dio 1. Las 7 partes que yo di,

21. Jeque. Gobernador de un territorio.

22. Mahoma. Fundador del Islamismo. Nació en el 571.

y el restante, entregado por el bagdalí, dieron forma a los 8 panes que comió el jeque Salem Nasair. Así es como es justo que yo reciba las siete monedas y mi compañero tan sólo una.

El gran visir, luego de pronunciar los mayores elogios para el Hombre que Calculaba, dio orden para que las siete monedas fueran entregadas a él, porque a mí, luego de la demostración, sólo me correspondería una. La explicación dada por el matemático era lógica, era perfecta y estaba fuera de toda duda.

Pero esta división equitativa no fue totalmente satisfactoria para Beremiz, porque dirigiéndose otra vez al asombrado ministro, agregó:

–La división que he propuesto, es decir, de siete monedas para mí y una para el bagdalí es, como quedó demostrado, matemáticamente correcta, pero no es perfecta a la mirada de Dios.

Juntó las monedas otra vez y las dividió en partes iguales. Una parte me la entregó a mí –cuatro monedas– y él se quedó con la otra.

–Es un hombre increíble, dijo el visir. Primero no aceptó la división de ocho dinares en dos partes, una de cinco y otra de tres, y luego demostró que tenía real derecho a pedir siete monedas y que su compañero sólo tenía que percibir un dinar. Pero ahora divide las ocho monedas en partes iguales, y da una de ellas a su amigo.

El visir agregó:

–¡Mac Allah![23] Este joven, además de parecerme sabio y muy hábil en los cálculos matemáticos, es bueno y generoso con el amigo y compañero. Desde hoy será mi secretario.

–Respetado Visir –dijo el Hombre que Calculaba–, acabas de realizar con 29 palabras y con un total de 135 letras, la mejor alabanza que escuché en mi vida y yo, para agradecerla voy a utilizar exactamente 58 palabras que suman nada menos que 270 letras. O sea,

23 ¡Mac Allah! ¡Poderoso es Dios!

¡exactamente el doble! *¡Que Allah os bendiga eternamente y os proteja! ¡Seáis vos por siempre alabado!*

La capacidad de mi amigo Beremiz llegaba hasta el límite fantástico de estar contando las palabras y las letras de la persona que hablaba y de ir calculando las que iba a utilizar en la respuesta, para que así fueran el doble exacto del mensaje inicial. Todos se maravillaron frente a semejante demostración de un talento envidiable.

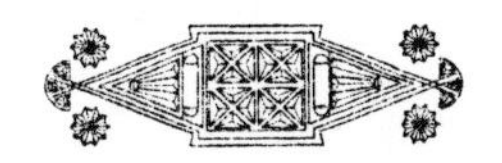

Capítulo V

De los maravillosos cálculos realizados por Beremiz Samir en el camino hacia El Ánade Dorado, una hostería, para descubrir el número preciso de las palabras dichas durante el transcurso de nuestro viaje, y cuál sería el promedio de las palabras pronunciadas por minuto. Donde el Hombre que Calculaba da solución a un problema y se determina la deuda real de un joyero.

Después de despedirnos del jeque Nasair y del visir Maluf, fuimos hacia una pequeña hostería llamada *El Ánade Dorado*, que estaba cerca de la mezquita de Solimán. En el lugar vendimos los camellos a un *chamir*[24] de mi confianza.

En el camino, le hablé a Beremiz:

—Amigo mío, queda demostrado que yo estaba en lo cierto cuando afirmé que un calculador con tu talento podía encontrar sin mucho esfuerzo un buen trabajo en Bagdad. Acabas de llegar y ya te ofrecieron el cargo de secretario de un visir. No estarás obligado a volver a la aldea de Khoi, árida y triste.

—Aunque en Bagdad prospere y sea rico, dijo el calculador, luego volveré a Persia, quiero ver otra vez mi tierra. Desagradecido será quien se olvide de la patria y de los buenos amigos de la juventud por haber hallado la felicidad en el oasis de la prosperidad y la fortuna.

Y agregó mientras apoyaba su mano sobre mi brazo:

—Estamos viajando juntos desde hace ocho días. Durante este viaje, sea para clarificar ideas e investigar sobre los temas que me inte-

24. *Chamir*. Jefe de una caravana.

resan, pronuncié exactamente 414.710 palabras. Si en ocho días se cuentan 11.520 minutos, puede afirmarse que durante el día pronuncié una media de 36 palabras por minuto, esto es 2.160 por hora. Los números demuestran que no hablé mucho, fui ubicado y no te obligué a malgastar el tiempo escuchando discursos sin interés. El hombre pensativo, exageradamente callado se transforma así en un ser poco agradable; pero aquellos que no pueden parar de hablar se vuelven molestos y aburridos para los oyentes.

Entonces debemos evitar las palabras inútiles, pero sin entrar en un laconismo excesivo, algo no compatible con una delicada educación. Al respecto te contaré un caso poco común.

Luego de una pausa breve, el calculador narró lo siguiente:

–En Teherán[25], en Persia, había un anciano mercader que tenía tres hijos. Un día, el mercader reunió a sus hijos para decirles: "Quien sea capaz de estar un día sin pronunciar una sola palabra inútil recibirá un premio de veintitrés *timunes*[26]".

Al llegar la noche, los tres hijos fueron a hablar con el anciano. El primero dijo:

–Hoy, ¡oh, padre mío!, evité las palabras inútiles. Creo entonces merecer, según lo dicho por ti, el premio establecido. El premio que, como de seguro recuerdas, asciende a veintitrés *timunes*.

El segundo de los hijos se acercó al padre, besó sus manos y dijo:

–¡Buenas noches, padre!

El menor de los hermanos no pronunció palabra. Se acercó al anciano y sólo tendió su mano para pedir el premio. El viejo mercader, luego de contemplar el procedimiento de sus tres hijos, dijo así:

–Quien vino a presentarse primero, molestó mi atención usando algunas palabras inútiles; quien se acercó en tercer lugar, actuó de manera por demás lacónica. Entonces el premio es para quien vino en

25. Teherán. Capital de Irán.

26. *Timún*. Moneda persa de oro. También llamado *serafín* a partir del siglo XV.

segundo lugar, ya que fue discreto con pocas palabras, y sencillo, sin posar con afectación.

Beremiz, al terminar el relato, preguntó:

–¿Crees que el viejo mercader actuó de manera justa al juzgar la actitud de los tres hijos?

Nada dije. Pensé que era mejor no intentar discutir sobre el caso de los veintitrés *timunes* con este hombre genial, que todo podía reducir a números, y que mientras calculaba promedios daba solución a los problemas.

Al fin arribamos a la hostería de *El Ánade Dorado.*

Salim era el propietario de la hostería y había sido empleado de mi padre. Al recibirme gritó alegre:

–*¡Allah sobre ti!*, joven. Aguardo tus órdenes, ahora y siempre.

Enseguida le informe de mis necesidades, precisaba un cuarto para mí y uno para mi amigo Beremiz Samir, el calculador, ahora secretario del visir Maluf.

–¿Un hombre que es calculador? –preguntó el Salim–. Entonces llega en el momento preciso para liberarme de un problema. Acabo de discutir con un mercader de joyas. La discusión duró mucho tiempo y de ella sólo resultó un problema que todavía no sabemos resolver.

Muchas personas curiosas se acercaron a la hostería al enterarse que a ella había llegado un famoso calculador. Consultado el vendedor de joyas, se declaró muy interesado en la presencia que quizá pudiera encontrar una solución al problema.

–¿Cuál es en definitiva el nacimiento de la duda? –preguntó Beremiz.

Salim contestó:

–El hombre –dijo señalando al joyero– llegó de Siria[27] para comerciar joyas en Bagdad. Prometió pagar por el hospedaje 20 dina-

27. Siria. Región de Asia Occidental. Actualmente comprende : Jordania, Israel, Siria y Líbano.

res[28] si vendía la totalidad de las joyas por 100 dinares, y 35 dinares si lograba que la venta ascendiera a 200.

Luego de varios días, con muchas idas y vueltas, terminó vendiéndolas en 140 dinares. ¿Cuánto es lo que debería pagar por el hospedaje de acuerdo con el trato estipulado?

–¡Veinticuatro dinares y medio¡ ¡Es totalmente lógico! –dijo el sirio–. Si vendiendo las joyas en 200 debía pagar 35, por venderlas en 140 debo pagar 24 y medio... y pretendo demostrarlo: si al venderlas por 200 dinares debía pagar 35, pero de haberlas vendido en 20, es decir diez veces menos, lo lógico es que nada más hubiese pagado 3 dinares y medio.

Pero, como es bien sabido, fueron vendidas por 140 dinares. Entonces cuántas veces 140 contiene a veinte. Siete, si mi cálculo está en lo cierto. Si vendiendo la mercancía en 20 debía pagar tres dinares y medio, al cerrarse la venta en 140, debo entonces pagar el importe que equivale a siete veces la cantidad de tres dinares y medio, o sea, 24 dinares y medio.

Proporción establecida por el joyero

$$200 : 35 :: 140 : X$$

$$X = \frac{35 \times 140}{200} = 24{,}5$$

–Estás en un error –contestó enojado el viejo Salim–según mi parecer deben ser veintiocho. Observa: si por 100 debía recibir 20, por 140 debo recibir 28. ¡Es muy claro!, y así lo demostraré.

Salim hizo su razonamiento de la siguiente manera:

28. Dinar. Antigua moneda árabe.

—Si por 100 debía recibir 20, por 10, la décima parte de 100, me pertenecería la décima parte de 20. Entonces, ¿cuál es la décima parte de 20? La décima parte de 20 es 2. Después, por 10 debería recibir 2. ¿Cuántos 10 contiene 140? El 140 contiene 14 veces 10. Luego, por 140 pretendo recibir 14 veces 2, es decir los 28 a los que ya hice referencia.

Proporción establecida por el viejo Salim

$$100 : 20 :: 140 : X$$

$$X = \frac{20 \times 140}{100} = 28$$

El viejo Salim, luego de hacer todos esos cálculos dijo con energía:

—¡Debo recibir 28! ¡Mi cuenta es la verdadera!

—Tranquilidad, amigos míos —dijo interrumpiendo el calculador—, las dudas deben ser siempre aclaradas con los ánimos serenos y mansos. El atropello conduce al error y luego a la discordia. Todos los resultados indicados son erróneos, así lo demostraré a continuación.

Su razonamiento fue el siguiente:

—De acuerdo al arreglo que hiciste tú —dijo mirando al sirio— debías pagar 20 dinares por el hospedaje si vendías las joyas por 100 dinares, pero si percibías 200 dinares, la cuota a abonar sería de 35.

Entonces:

Precio de venta	Costo del hospedaje
200	35
100	20
100	15

Fíjense en el resultado, en una diferencia de 100 obtenida en el precio de venta corresponde una diferencia de 15 en el valor del hospedaje. ¿Queda claro?

–¡Tan claro como la leche de camella! –aceptaron los litigantes.

–Entonces –continuó el calculador–, si un aumento de 100 en la venta ocasiona un aumento de 15 en el hospedaje, me pregunto: ¿Cuál será el correcto aumento del hospedaje cuando la venta se eleva en 40? Si la diferencia fuera 20, o sea un quinto de 100, el aumento del hospedaje sería 3, porque 3 es un quinto de 15. Para una diferencia de 40, el doble de 20, el aumento en el hospedaje deberá ser 6. Entonces el pago correspondiente a 140 es de 26 dinares.

Proporción establecida por Beremiz

$$100 : 15 :: 40 : X$$

$$X = \frac{15 \times 40}{100} = 6$$

Los números, amigos míos, aparecen de manera simple, pero pueden complicar incluso a los más atentos. A veces las proporciones que parecen perfectas están condicionadas por el error. Es de la total incertidumbre de los cálculos de donde nace la notable riqueza de la Matemática. Por el acuerdo establecido, el vendedor deberá pagarte 26 dinares, en lugar de los 24 y medio que proponía al principio. Pero hay en la resolución final del problema, una diferencia que no puede expresarse a través de los números.

–El calculador tiene razón –afirmó el joyero–, admito que mi cálculo estaba errado.

Sin dudar, sacó de su bolsa 26 dinares, los entregó al viejo Salim, y ofreció a Beremiz como obsequio un hermoso anillo de oro con dos piedras oscuras, mientras añadía a la dádiva[29] las más elogiosas expresiones.

Todos los presentes en la hostería se maravillaron ante la inteligencia del calculador, dueño de una fama que iba creciendo de momento a momento y que así lo acercaba al terreno de los grandes triunfos.

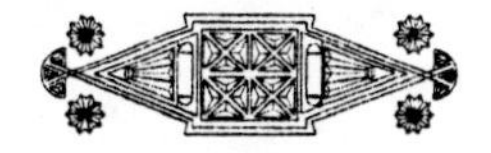

29. Dádiva. Obsequio, regalo.

Capítulo VI

De lo acontecido durante la visita al visir Maluf. Del encuentro con el poeta Iezid, quien no creía en las maravillas del cálculo. El Hombre que Calculaba cuenta un grupo de camellos de forma muy original. La edad de la novia y un camello sin oreja. Beremiz halla la "amistad cuadrática" y cuenta del Rey Salomón.

Luego de la *segunda oración*[30] dejamos atrás *El Ánade Dorado* y continuamos a paso firme hasta la residencia del visir Ibrahim Maluf, ministro del rey.

Quedé maravillado apenas entrar en la fastuosa morada del noble musulmán.

Traspusimos la puerta de hierro y caminamos por un estrecho corredor, íbamos guiados por un esclavo negro adornado con brazaletes de oro, que nos condujo hasta el hermoso jardín interior del palacio.

El jardín, construido con buen gusto, estaba bordeado por dos filas de naranjos. Al jardín daban varias puertas, algunas de ellas debían dar acceso al harén[31] del palacio. Dos esclavas *kafiras*[32] que estaban juntando flores corrieron, al descubrirnos, a esconderse entre los macizos de flores y luego desaparecieron cubiertas por las columnas.

30. Segunda oración. Oración que rezan los musulmanes al mediodía.
31. Haren. Aposentos donde viven las mujeres de los musulmanes.
32. *Kafira*. Infiel, cristiana.

Desde el jardín, que me pareció lleno de alegría, se entraba por una puerta estrecha, abierta en un muro bastante alto, al primer patio. La residencia disponía de otro en el ala izquierda del edificio.

En el centro del primer patio, cubierto de espléndidos mosaicos, se alzaba una fuente de tres surtidores. Los tres hilos de agua formados en el espacio brillaban al sol.

Atravesamos el patio y, siempre guiados por el esclavo de los brazaletes de oro, entramos en el palacio. Cruzamos varias salas ricamente alhajadas con tapicerías bordadas con hilo de plata y llegamos por fin al aposento en que se hallaba el prestigioso ministro del rey.

Estaba recostado en grandes almohadones, charlando con dos amigos.

Uno de ellos era el jeque Salem Nasair, nuestro compañero de aventuras del desierto; el otro era un hombre bajo, de cara redonda, expresión bondadosa y barba ligeramente gris. Estaba vestido con un gusto exquisito y llevaba en el pecho una medalla de forma rectangular, con una de sus mitades amarilla como el oro y la otra oscura como el bronce.

El visir Maluf nos recibió con demostraciones de viva simpatía, y dirigiéndose al hombre de la medalla, dijo risueño:

–Aquí lo tiene, mi querido Iezid, a nuestro gran calculador.

Quien le acompaña es un bagdalí que lo descubrió por azar cuando iba por los caminos de *Allah*.

Dirigimos un respetuoso salam al noble jeque. Luego supimos que el que les acompañaba era el famoso poeta Iezid Abdul Hamid, amigo y confidente del Califa Al-Motacén. Aquella medalla singular la había recibido como premio de manos del Califa, por haber escrito un poema con treinta mil doscientos versos sin emplear ni una sola vez las letras *Kaf, Lam* y *Ayn*[33].

33. *Kam, Laf* y *Ayn*. Nombre de tres letras del alfabeto árabe de uso muy frecuente.

—Me cuesta trabajo creer, amigo Maluf —declaró en tono risueño el poeta Iezid—, en las hazañas prodigiosas de este calculador persa. Cuando los números se combinan, aparecen también los artificios de los cálculos y las sutilezas algebraicas. Ante el rey El-Harit, hijo de Modad, se presentó cierto día un mago que afirmaba poder leer en la arena el destino de los hombres. "¿Hace usted cálculos exactos?", preguntó el rey. Y antes de que el mago despertase del estupor en que se hallaba, el monarca añadió: "Si no sabe calcular, de nada valen sus previsiones; si las obtiene por cálculo, dudo mucho de ellas". Aprendí en la India un proverbio que dice:

HAY QUE DESCONFIAR SIETE VECES DEL CÁLCULO
Y CIEN VECES DEL MATEMÁTICO.

Para terminar con esta desconfianza —sugirió el visir—, vamos a someter a nuestro huésped a una prueba decisiva.

Abandonó el cómodo cojín y tomando delicadamente a Beremiz por el brazo lo llevó ante uno de los miradores del palacio.

El mirador se abría hacia el segundo patio lateral, lleno en aquel momento de camellos. ¡Qué maravillosos ejemplares! Casi todos parecían de buena raza, pero vi de pronto dos o tres camellos blancos, de Mongolia[34] y varios *carehs*[35] de pelo claro.

—Ahí tienes la prueba —dijo el visir—, una bella recua de camellos que compré ayer y que quiero enviar como presente al padre de mi novia. Sé exactamente, sin error, cuántos son. ¿Podrías indicarme su número?

El visir, para hacer más interesante el desafío, dijo en secreto, al oído de su amigo Iezid, el número total de animales que había en el abarrotado corral.

34. Mongolia. Región de Asia Central, entre Siberia y China.
35. *Careh*. Cierta clase de camello.

Yo me asusté ante el problema. Los camellos eran muchos y se confundían en una agitación constante. Si mi amigo cometiera un error de cálculo, nuestra visita al visir habría fracasado lastimosamente. Pero después de recorrer con la mirada aquella inquieta cáfila, el inteligente Bererniz dijo:

–Señor: según mis cálculos hay ahora en este patio 257 camellos.

–¡Exacto! –confirmó el visir–. ¡Acertó! El total es realmente 257. *¡Kelimet-Uallah!*[36]

–¿Cómo logró contarlos tan de prisa y con tanta exactitud? –preguntó con curiosidad incontenible el poeta lezid.

–Muy sencillo –explicó Beremiz–, contar los camellos uno por uno sería a mi ver tarea sin interés, una bagatela sin importancia. Pa-ra hacer más interesante el problema procedí de la siguiente forma: conté primero todas las patas y luego las orejas. Encontré de este mo-do un total de 1.541. A ese total añadí una unidad y dividí el resultado por 6. Hecha esta pequeña división encontré el cociente exacto: 257.

–*¡Por la gloria de la Caaba!*[37] –exclamó el visir con alegría– ¡Qué original y fabuloso es todo esto! ¡Quién iba a imaginarse que este calculador, para complicar el problema y hacerlo más interesante, iba a contar las patas y las orejas de 257 camellos! Y repitió con sincero entusiasmo:

–*¡Por la gloria de la Caaba!*

–Aclaro, señor visir –añadió Beremiz–, que los cálculos se hacen a veces complicados y difíciles por descuido o falta de habilidad de quien calcula. Una vez, en Khoi, en Persia, cuando vigilaba el rebaño de mi amo, pasó por el cielo una bandada de mariposas. Un pastor, a mi lado, me preguntó si podría contarlas. "¡Hay ochocientas cincuenta y seis!" respondí. "¿Ochocientas cincuenta y seis?", exclamó mi compañero como si hallara exagerado aquel total. Sólo entonces me

36. *¡Kelimet-Uallah!* ¡Palabra de Dios!

37. Caaba. Primer templo dedicado al culto de Allah. Construido en La Meca.

di cuenta de que por error había contado, no las mariposas, sino las alas. Hecha la correspondiente división por dos, encontré al fin el resultado cierto.

Al escuchar el relato de este caso el visir soltó una carcajada que sonó a mis oídos como música deliciosa.

—En toda la resolución —dijo muy serio el poeta Iezid—, hay una particularidad que escapa a mi raciocinio. La división por 6 es aceptable, pues cada camello tiene 4 patas y 2 orejas y la suma 4 + 2 es igual a 6. Luego, dividiendo el total hallado —suma de patas y orejas de todos los camellos— o sea 1.541 por 6, obtendremos el número de camellos. No comprendo sin embargo por qué añadió un 1 al total antes de dividirlo por seis.

—Muy sencillo —respondió Beremiz—. Al contar las orejas noté que uno de los camellos tenía un pequeño defecto: le faltaba una oreja. Para que la cuenta fuera exacta tenía que sumar 1 al total. Y volviéndose al visir, le preguntó:

—¿Sería indiscreto o imprudente de mi parte preguntar, ¡Oh Visir!, cuántos años tiene la que ha de ser vuestra esposa?

—De ningún modo —respondió sonriente el ministro—, Astir tiene 16 años.

Y añadió subrayando sus palabras con un ligero tono de desconfianza:

—No veo relación alguna, señor calculador, entre la edad de mi novia y los camellos que voy a ofrecer como presente a mi futuro suegro...

—Sólo pensé —reflexionó Beremiz—, hacerle una pequeña sugerencia. Si retira usted de la cáfila el camello defectuoso el total será 256. Y 256 es el cuadrado de 16, esto es, 16 veces 16. El presente ofrecido al padre de la encantadora Astir tendrá de este modo una perfección matemática, al ser el número total de camellos igual al cuadrado de la edad de la novia. Además, el número 256 es potencia exacta del número 2 —que para los antiguos era un número simbólico—, mientras que el número 257 es primo. Estas relaciones entre los números cuadrados son de buen augurio para los enamorados. Hay una leyenda muy interesante sobre los "números cuadrados". ¿Deseáis oírla?

–Con muchísimo gusto –respondió el visir–. Las leyendas famosas cuando están bien narradas son un placer para mis oídos, siempre estoy dispuesto a escucharlas.

Tras escuchar las palabras del visir, el calculador inclinó la cabeza con gesto de gratitud, y comenzó:

–La historia cuenta que el famoso rey Salomón[38], para demostrar la finura y sabiduría de su espíritu, dio a su prometida, la reina de Saba[39] –la hermosa Belquiss– una caja con 529 perlas. ¿Por qué 529? Se sabe que 529 es el cuadrado de 23, esto es: 529 es igual a 23 multiplicado por 23. Y 23 era exactamente la edad de la reina. En el caso de la joven Astir, el número 256 sustituirá con mucha ventaja al 529.

Todos miraron con cierta preocupación al calculador. Y éste, con tono tranquilo y sereno, prosiguió:

–Hay que sumar las cifras de 256. Obtenemos la suma 13. El cuadrado de 13 es 169. Vamos a sumar las cifras de 169. Dicha suma es 16. Existe en consecuencia entre los números 13 y 16 una curiosa relación que podría ser llamada "amistad cuadrática". Realmente, si los números hablaran, podríamos oír el siguiente diálogo: El Dieciséis diría al Trece:

"Quiero rendirte un homenaje de amistad, amigo. Mi cuadrado es 256 y la suma de los guarismos de ese cuadrado, es 13."

El Trece respondería:

"Agradezco tu gentileza, querido amigo, y quiero corresponder en la misma moneda. Mi cuadrado es 169 y la suma de los guarismos de ese cuadrado es 16."

38. Rey Salomón. Hijo de David, reinó del 961 al 922 a de C. Su sabiduría fue legendaria.

39. Reina de Saba. Prometida de Salomón, famosa por su belleza y riqueza. Llamada también Belquiss, Balkis o Makeda.

Creo que justifiqué cumplidamente la preferencia que debemos otorgar al número 256, que excede por sus singularidades al número 257.

–Muy curiosa su idea –dijo de pronto el visir–, y voy a llevarla a cabo aunque quede sobre mí la acusación de haber plagiado al gran Salomón.

Dirigiéndose al poeta Iezid, le dijo:

–Queda claro que la inteligencia de este calculador no es menor que su habilidad para descubrir analogías e inventar leyendas. Muy acertado estuve cuando decidí convertirlo en mi secretario.

–Lamento tener que decir, ilustre Mirza[40] –replicó Beremiz–, que sólo podré aceptar su ofrecimiento si hay también lugar para mi amigo Hank-Tadé-Maiá, el bagdalí, que está ahora sin trabajo y sin recursos.

Me sentí agradecido ante la gentileza del calculador. Procuraba así atraer hacia mí la importante protección del poderoso visir.

–Tu petición es justa –dijo el visir–. Tu compañero Hank-Tadé-Maiá, quedará cumpliendo las funciones de *escriba*[41] con el sueldo correspondiente.

Enseguida acepté la propuesta, y expresé mi agradecimiento al visir y también al bondadoso Beremiz.

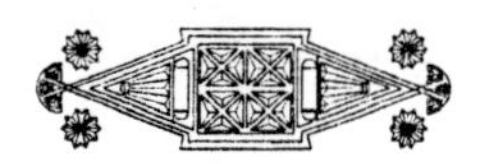

40. *Mirza*. Palabra persa que significa hidalgo, noble.
41. Escriba. Amanuense, escribano.

Capítulo VII

De nuestra llegada a la plaza de los mercaderes.
Beremiz y el turbante azul. El caso de "los cuatro cuatros".
La cuestión de los cincuenta dinares.
Beremiz soluciona la disputa y por ello recibe un obsequio.

Algunos días después, una vez terminado con nuestro trabajo cotidiano en el palacio del visir, nos dirigimos a dar un paseo por el zoco[42] y los jardines de Bagdad.

Había en la ciudad, ya era de tarde, un gran movimiento que salía de lo común. Esa misma mañana dos importantes caravanas de Damasco[43] habían llegado a la ciudad.

El arribo de caravanas era siempre un gran acontecimiento, ya que era el único medio para conocer las mercaderías que se producían en otras regiones y países. Su presencia estimulaba, además, el comercio de lo producido en los países que visitaban. Así las ciudades adquirían un aspecto inusual, lleno de vida.

En el bazar de los zapateros, por ejemplo, no se podía ingresar; había sacos y cajas con mercancías apiladas en los patios y estanterías. Forasteros damascenos, con grandes turbantes, mostrando sus armas en la cintura, se movían mirando con indiferencia a los mercaderes. Había un aroma fuerte a incienso, a *kif*[44] y a especias. Los vendedores de legumbres discutían, casi se golpeaban, gritando maldiciones en siriaco.

42. Zoco. Plaza donde se celebra el mercado.
43. Damasco. Capital de Siria.
44. *Kif.* Producto que los árabes extraen del cáñamo para fumar.

Un guitarrista de Mosul[45], sentado sobre unos sacos, cantaba una canción triste:

Qué importa la vida de la gente si la gente,
para bien o para mal,
va viviendo simplemente su vida.

Los comerciantes, a la entrada de sus tiendas, pregonaban las mercancías exaltándolas con elogios exagerados y fantásticos, con la fértil imaginación de los árabes.

–Este tejido, miren, ¡digno del Emir[46]...!

–¡Amigos: ahí tienen un delicioso perfume que les recordará el cariño de la esposa...!

–Observa, ¡Oh jeque!, estas chinelas[47] y este lindo *caftán*[48] que los *djins*[49] recomiendan a los ángeles.

Beremiz se sintió atraído por un elegante y delicado turbante azul claro que ofrecía un sirio medio corcovado por 4 dinares. La tienda de este mercader era además muy original, pues todo allí –turbantes, cajas, puñales, pulseras, etc.– era vendido a 4 dinares. Había un letrero que decía con vistosas letras:

LOS CUATRO CUATROS

Al ver que Beremiz estaba interesado en comprar el turbante, le dije:

–Creo que ese lujo es una locura. Tenemos poco dinero, y aún no pagamos la hostería.

45. Mosul. Ciudad del Irak.

46. Emir. Príncipe o caudillo árabe.

47. Chinelas. Calzado sin talón y de suela ligera.

48. *Caftán*. Prenda utilizada por los persas, que cubre desde el cuello hasta la rodilla.

—No me interesa el turbante —respondió Beremiz—. Fíjate en que esta tienda se llama "Los cuatro cuatros". Es una coincidencia digna de la mayor atención.

—¿Coincidencia? ¿Por qué?

—La escritura de ese cartel recuerda una de las maravillas del Cálculo: empleando cuatro cuatros podemos formar un número cualquiera...

Antes de que le preguntara sobre el enigma, Beremiz explicó mientras escribía en la arena fina que cubría el suelo:

—¿Quieres formar el cero? Pues nada más sencillo. Basta escribir:

$$44 - 44$$

Ahí tienes los cuatro cuatros formando una expresión que es igual a cero.

Pasemos al número 1. Esta es la forma más cómoda:

$$\frac{44}{44}$$

Esta fracción representa el cociente de la división de 44 por 44. Y este cociente es 1.

¿Quieres ahora ver el número 2? Se pueden utilizar fácilmente los cuatro cuatros y escribir:

$$\frac{4}{4} + \frac{4}{4}$$

La suma de las dos fracciones es exactamente igual a 2. El tres es más fácil. Basta escribir la expresión:

$$\frac{4 + 4 + 4}{4}$$

Fíjate en que la suma es doce; dividida por cuatro da un cociente de 3. Así pues, el tres también se forma con cuatro cuatros.

–¿Y cómo vas a formar el número 4? –le pregunté.

–Nada más sencillo –explicó Beremiz–; el 4 puede formarse de varias maneras. He ahí una expresión equivalente a 4:

$$4 + \frac{4 - 4}{4}$$

Observa que el segundo término

$$\frac{4 - 4}{4}$$

es nulo y que la suma es igual a cuatro. La expresión escrita equivale a:

$$4 + 0, \text{ o sea } 4.$$

Observé que el mercader sirio escuchaba atento, sin perder palabra, la explicación de Beremiz, como si le interesaran mucho aquellas expresiones aritméticas formadas por *cuatro cuatros.*

Beremiz prosiguió:

–Quiero formar por ejemplo el número 5. No hay dificultad. Escribiremos:

$$\frac{4 \times 4 + 4}{4}$$

Esta fracción expresa la división de 20 por 4. Y el cociente es 5. De este modo tenemos el 5 escrito con *cuatro cuatros.*

Pasemos ahora al 6, que presenta una forma muy elegante:

$$\frac{4 + 4}{4} + 4$$

Una pequeña alteración en este interesante conjunto lleva al resultado 7:

$$\frac{4\ 4}{4} - 4$$

Es muy sencilla la forma que puede adoptarse para el número 8 escrito con cuatro cuatros:

$$4 + 4 + 4 - 4$$

El número 9 también es interesante:

$$4 + 4 + \frac{4}{4}$$

Te mostraré ahora una expresión muy bella, igual a 10, formada con cuatro cuatros:

$$\frac{44 - 4}{4}$$

Aquí, el jorobado, dueño de la tienda, que había seguido las explicaciones de Beremiz con un silencio respetuoso, observó:

–Por lo que termino de oír, el señor es un eximio matemático. Si el señor es capaz de explicarme cierto enigma que hace dos años hallé en una suma, puedo obsequiarle el turbante azul que quería comprarme. Y el mercader narró la siguiente historia:

Presté una vez 100 dinares, 50 a un jeque de Medina[50] y otros 50 a un judío de El Cairo[51].

50. Medina. Ciudad de Arabia.

51. El Cairo. Capital de Egipto.

El medinés pagó la deuda en cuatro partes, del siguiente modo: 20, 15, 10 y 5, es decir:

Pagó	20	y quedó debiendo		30
"	15	"	"	15
"	10	"	"	5
"	5	"	"	0
Suma	50	Suma		50

Ahora, amigo mío, fíjese que tanto la suma de las cuantías pagadas como la de los saldos deudores, son iguales a 50.

El judío cairota pagó igualmente los 50 dinares en cuatro plazos, del siguiente modo:

Pagó	20	y quedó debiendo		30
"	18	"	"	12
"	3	"	"	9
"	9	"	"	0
Suma	50	Suma		51

Así la primera suma es 50 –como en el caso anterior–, mientras la otra da un total de 51. Aparentemente esto no debería suceder.

No me puedo explicar la diferencia de 1 que se observa en la segunda forma de pago. Ya sé que no quedé perjudicado, pues recibí el total de la deuda, pero, ¿cómo justificar el que esta segunda suma sea igual a 51 y no a 50 como en el primer caso?

–Amigo mío –explicó Beremiz–, esto se explica con pocas palabras. En las cuentas de pago, los saldos deudores no tienen relación ninguna con el total de la deuda. Admitamos que la deuda de 50 fuera pagada en tres plazos, el primero de 10; el segundo de 5; y el tercero de 35. La cuenta con los saldos sería:

Pagó	10	y quedó debiendo	40
"	5	" "	35
"	35	" "	0
Suma	50	Suma	75

En este ejemplo, la primera suma sigue siendo 50, mientras la suma de los saldos es, como veis, 75; podía ser 80, 99, 100, 260, 800 o un número cualquiera. Sólo por casualidad dará exactamente 50, como en el caso del jeque, o 51, como en el caso del judío.

El comerciante quedó satisfecho por haber entendido la explicación de Beremiz, y cumplió la promesa regalando al calculador el turbante azul.

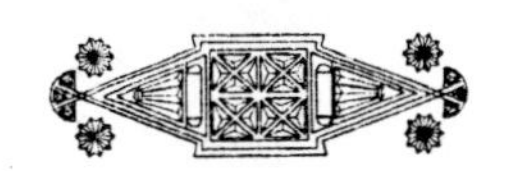

Capítulo VIII

Donde Beremiz habla de geometría.
Del encuentro con el jeque Salem Nasair y
los criadores de ovejas, sus amigos.
Beremiz soluciona la cuestión de las veintiuna vasijas y
otro problema causando asombro entre los mercaderes.
Cómo explicar la desaparición de un dinar en una cuenta de treinta.

Beremiz se mostró satisfecho por el presente entregado por el mercader sirio.

—Es un muy buen trabajo —dijo girando el turbante y observándolo con cuidado por uno y otro lado—. Sin embargo, posee, en mi opinión, un defecto que podría evitarse fácilmente: su forma no es geométrica.

Lo miré y no pude esconder mi sorpresa. Este hombre, el calculador, tenía la costumbre de transformar las cuestiones más vulgares, incluso hasta el extremo de dar forma geométrica a los turbantes musulmanes.

—A no sorprenderse, amigo mío —prosiguió el persa—, porque pretenda turbantes en formas geométricas. *La Geometría está en todas partes.* Mire las formas regulares y perfectas que tienen muchos cuerpos. Las flores, las hojas y muchos animales muestran simetrías notables que deslumbran nuestro espíritu.

La Geometría, insisto, existe en todas partes: en el círculo solar, en las hojas, en el arco iris, en la mariposa, en el diamante, en la estrella de mar y hasta en un diminuto grano de arena. Hay una infinita variedad de formas geométricas extendidas por la naturaleza. Un cuervo volando lentamente por el cielo describe, con la mancha negra de su cuerpo, figuras admirables. La sangre que circula por las venas del camello no escapa tampoco a los rigurosos principios geométricos, ya que sus glóbulos presentan la singularidad –única entre los mamíferos– de tener forma elíptica; la piedra que se tira al chacal importuno dibuja en el aire una curva perfecta, denominada parábola; la abeja construye sus panales con la forma de prismas hexagonales y adopta esta forma geométrica, creo yo, para obtener su casa con la mayor economía posible de material.

La Geometría existe, como afirmó el filósofo, en todas partes. Es necesario, sin embargo, tener ojos para verla, inteligencia para comprenderla y alma para admirarla.

El tosco beduino mira las formas geométricas, pero no las entiende; el sunita[52] las entiende pero no las admira; el artista, en fin, ve las figuras a la perfección, comprende la Belleza y admira el Orden y la Armonía. Dios fue el Gran Geómetra. Geometrizó el Cielo y la Tierra.

En Persia hay una planta muy valorada como alimento por los camellos y las ovejas, y cuya simiente...

Y así, siempre hablando, con entusiasmo, de la multitud de bellezas que encierra la Geometría, fue Beremiz caminando por la extensa y polvorienta carretera que va del zoco de los Mercaderes al Puente de la Victoria. Yo lo acompañaba en silencio, embebido en sus curiosas enseñanzas.

Luego de cruzar la Plaza Muazén, también conocida como Refugio de los Camelleros, divisamos la bella hostería de las Siete Penas, muy concurrida en los días calurosos por los viajeros y beduinos llegados de Damasco y de Mosul.

52. Sunita. Miembro de la secta musulmana *Sunnat*. Niegan toda manifestación artística.

Capítulo VIII

El lugar más pintoresco de la hostería de las Siete Penas era su patio interior, con buena sombra para los días de verano, y cuyas paredes estaban totalmente cubiertas de plantas de colores traídas de las montañas del Líbano[53]. Allí se vivía en un ambiente de comodidad y de reposo.

Sobre un vetusto cartel de madera, junto al que los beduinos ataban sus camellos, se leía:

Hostería de las Siete Penas

–¡Siete Penas! –murmuró Beremiz observando el cartel–. ¡Es curioso! ¿Conoces al dueño de esta hostería?

–Sí, lo conozco muy bien –respondí–. Es un viejo cordelero de Trípoli[54] cuyo padre sirvió en las tropas del sultán Queruán. Le llaman "el Tripolitano". Es bastante estimado por su carácter sencillo y comunicativo. Es hombre honrado. Se dice que fue al Sudán[55] con una caravana de aventureros sirios y trajo de tierras africanas cinco esclavos negros que le sirven con increíble fidelidad. Al regresar del Sudán dejó su oficio de cordelero y montó esta hostería, siempre auxiliado por los cinco esclavos.

–Con esclavos o sin ellos –dijo Beremiz–, el Tripolitano, debe ser bastante original. Puso en la hostería el número siete para formar el nombre, y el siete fue siempre, para todos los pueblos: musulmanes, cristianos, judíos, idólatras o paganos, un número sagrado, por ser la suma del número "tres" –que es divino– y el número "cuatro" –que simboliza el mundo material–. Y de esa relación resultan numerosas vinculaciones entre elementos cuyo total es "siete".

53. Líbano. Estado de Asia, a orillas del Mediterráneo.
54. Trípoli. Capital de Libia (África).
55. Sudán. Estado de África en el Alto Nilo.

Siete las puertas del infierno;
Siete los días de la semana;
Siete los sabios de Grecia[56]*;*
Siete los cielos que cubren el Mundo;
Siete los planetas;
Siete las maravillas del mundo.

Proseguía el calculador con sus extrañas observaciones sobre el número sagrado, cuando vimos en la puerta de la hostería, a nuestro buen amigo, el jeque Salem Nasair, que repetidamente nos llamaba con un gesto de la mano.

–Estoy feliz por haberte encontrado ahora, ¡Oh Calculador!, dijo risueño el jeque cuando nos acercamos a él. Tu llegada es providencial, no sólo para mí sino también para estos tres amigos que están aquí en la hostería.

Y añadió, con simpatía y visible interés:

–¡Pasen! ¡Vengan conmigo!, que el caso es muy difícil.

Lo seguimos por el interior de la hostería a través de un corredor húmedo sumido en la penumbra, hasta que llegamos a la claridad del patio interior. Había allí cinco o seis mesas redondas. Junto a una de estas mesas se hallaban tres viajeros.

Los hombres, cuando el jeque y el Calculador se aproximaron a ellos, levantaron la cabeza e hicieron el salam. Uno de ellos parecía muy joven; era alto, delgado, de ojos claros y ostentaba un bellísimo turbante amarillo como la yema del huevo, con una barra blanca donde lanzaba destellos una esmeralda de rara belleza; los otros dos eran bajos, de anchas espaldas y tenían la piel oscura, como los beduinos de África.

56. Grecia. Nación europea, en la península Balcánica.

Eran diferentes a de los demás tanto por su aspecto como por sus vestidos. Estaban absortos en una discusión que a juzgar por los ademanes era enconada como ocurre cuando la solución al problema es difícil de hallar.

El jeque dijo dirigiéndose a los tres musulmanes:

—¡Aquí está el genial Calculador!

Luego presentó a los viajeros:

—¡Estos son mis tres amigos! Son criadores de carneros y vienen de Damasco. Se les plantea en este momento uno de los más curiosos problemas que haya visto en mi vida. Es el siguiente:

En pago por un pequeño lote de carneros recibieron, aquí en Bagdad, una partida de vino excelente, envasado en 21 vasijas iguales, de las cuales se hallan:

7 llenas
7 mediadas
7 vacías

Ahora pretenden repartirse estas 21 vasijas de modo que cada uno de ellos reciba el mismo número de vasijas y la misma cantidad de vino.

El reparto de las vasijas es fácil. Cada uno se quedará con siete. La dificultad está, según entiendo, en repartir el vino sin abrir las vasijas; es decir, dejándolas exactamente como están, ¿será posible, ¡oh Calculador!, hallar una solución satisfactoria a este problema?

Beremiz, después de pensar en silencio durante unos minutos, respondió:

—El reparto de las 21 vasijas podrá hacerse, ¡oh jeque! sin grandes cálculos. Voy a indicarle la solución que me parece más sencilla. Al primer socio le corresponderán:

3 vasijas llenas
1 mediada
3 vacías.

Así recibirá un total de 7 vasijas.

Al segundo socio le corresponderán:

2 vasijas llenas
3 mediadas
2 vacías.

Recibirá entonces siete vasijas.

La parte correspondiente al tercero será igual a la del segundo, esto es:

2 vasijas llenas
3 mediadas
2 vacías.

Según esta división indicada, cada socio recibirá 7 vasijas e igual cantidad de vino. En efecto, llamemos 2 (dos) a la porción de vino de una vasija llena y 1 (uno) a la porción de la vasija mediada.

El primer socio recibirá, de acuerdo con la división:

$$2 + 2 + 2 + 1$$

y esa suma es igual a siete unidades de vino.

Cada uno de los otros dos socios recibirá:

$$2 + 2 + 1 + 1 + 1$$

y esa suma es también igual a 7 unidades de vino.

Esto prueba que la división sugerida es cierta y justa. El problema, que en apariencia es complicado, no ofrece la menor dificultad en cuanto a su resolución numérica.

La solución dada por Beremiz fue recibida con mucho agrado, no sólo por el jeque, sino también por sus amigos damascenos.

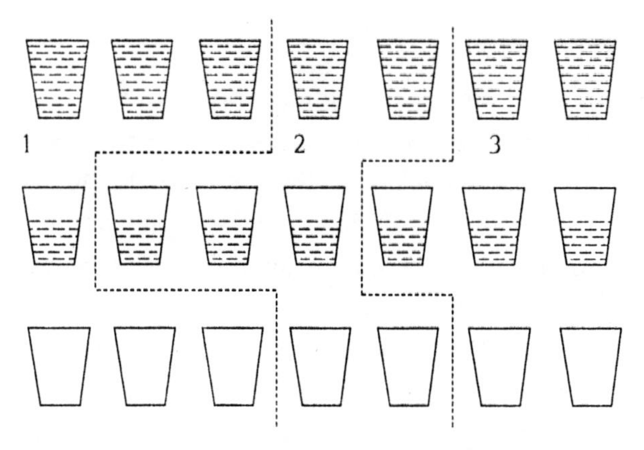

Resolución del Problema de las Veintiuna Vasijas. La primera hilera está constituida por las siete vasijas llenas, la segunda por las siete vasijas mediadas y la tercera por las siete vasijas vacías. La partición propuesta deberá efectuarse siguiendo las líneas punteadas.

–¡*Por Allah!* –exclamó el joven de la esmeralda–. ¡El calculador es prodigioso! Resolvió en un momento un problema que nos parecía imposible.

Volviéndose hacia el dueño de la hostería, preguntó en tono amistoso:

–Escucha, Tripolitano. ¿Cuánto hemos gastado en esta mesa?

Respondió el dueño de la hostería:

–El total, incluyendo la comida, es de treinta dinares.

El jeque Nasair quería pagar él solo la cuenta, pero los damascenos se negaron, entablándose así una pequeña discusión, un cambio de gentilezas, en el que todos hablaban y protestaban al mismo tiempo. Al final se decidió que el jeque Nasair, que había sido invitado a la reunión, no contribuiría al gasto. Y cada uno de los damascenos pagó diez dinares. Los 30 dinares fueron entregados a un esclavo sudanés y llevada al Tripolitano.

Un momento después, volvió el esclavo y dijo:

–El patrón dijo que se equivocó. El gasto asciende a 25 dinares. Dijo que les devuelva estos cinco.

–Este Tripolitano, observó Nasair, es muy honrado.

Tomó las cinco monedas que habían sido devueltas, dio una a cada uno de los damascenos y así de las cinco monedas sobraron dos. Después de consultar con una mirada a los damascenos, el jeque las entregó como propina al esclavo sudanés que había servido el almuerzo.

Entonces el joven de la esmeralda se levantó y dirigiéndose muy serio a los amigos, habló así:

–Con este asunto del pago de los treinta dinares de gasto nos hemos armado un lío mayúsculo.

–¿Un lío? No hay ningún lío –se asombró el jeque–. No veo por dónde...

–Sí –confirmó el damasceno–. Un lío muy serio y un problema que parece absurdo. Desapareció un dinar. Fíjense. Cada uno de nosotros pagó en realidad sólo 9 dinares. Somos tres: en consecuencia el pago total fue de 27 dinares. Sumando esos 27 dinares a los dos de la propina que el jeque ha dado al esclavo sudanés, tenemos 29 dinares. De los 30 que le fueron dados al Tripolitano, sólo aparecen 29. ¿Dónde está, pues, el otro dinar? ¿Cómo desapareció? ¿Qué es este misterio?

El jeque Nasair, al escuchar la observación, reflexionó:

–Tienes razón, damasceno. A mi ver, tu raciocinio es cierto. Tienes razón. Si cada uno de los amigos pagó 9 dinares, hubo un total de 27 dinares; con los 2 dinares dados al esclavo, resulta un total de

29 dinares. Para los 30 del pago inicial falta uno. ¿Cómo explicar este misterio?

Entonces Beremiz, que hasta allí se mantenía en silencio, intervino en el debate y dijo:

–Está en un error, jeque. La cuenta no se debe hacer de ese modo. De los treinta dinares pagados al Tripolitano por la comida, tenemos:

25 para el Tripolitano
3 devueltos
2 propina al esclavo sudanés

Entonces señores, no desapareció nada y no puede haber la menor duda en una cuenta tan sencilla. De otra manera: de los 27 dinares pagados (9 veces 3), 25 quedaron en manos del Tripolitano y 2 fueron a la propina del sudanés.

Los damascenos, al escuchar la explicación de Beremiz, soltaron estrepitosas carcajadas.

–¡Por los méritos del Profeta! –exclamó el más viejo–. El Calculador acabó con el misterio del dinar perdido y salvó el buen nombre de esta vieja hostería... *¡Iallah!*[57]

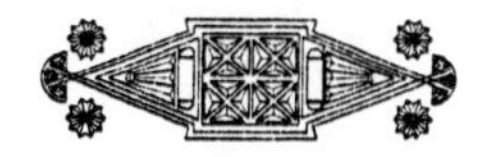

57. ¡Iallah! ¡Dios sea loado!

Capítulo IX

Donde se cuenta la visita de nuestro amigo, el jeque Iezid, el poeta.
La mujer y las matemáticas.
Beremiz es convocado para enseñar matemáticas a una joven hermosa y misteriosa.
Beremiz habla de su amigo y maestro, el sabio Nó-Elim.

En el último día del Moharra[58], cuando cayó la noche vino a buscarnos a la hostería el poeta Iezid-Abul-Hamid, amigo y confidente del Califa.

–¿Un nuevo problema para resolver, jeque? –preguntó Beremiz–.

–¡Sí, has adivinado, amigo mío! –respondió el visitante–Estoy frente a un serio problema. Mi hija se llama Telassim, posee una inteligencia vivaz y una marcada inclinación a los estudios. Cuando Telassim nació, pregunté a un famoso astrólogo que sabía descubrir el futuro a través de la observación de las nubes y las estrellas. El mago afirmó que mi hija viviría feliz hasta los 18 años, y que a partir de esta edad la amenazarían una serie de desgracias lamentables. Pero existía una manera de evitar que la infelicidad torciera su destino. Telassim –dijo el mago– tendría que aprender las propiedades de los números y los múltiples cálculos que con ellos se realizan.

Para dominar los números y hacer cálculos, es preciso conocer la ciencia de Al-Kharismi[59], la Matemática. Entonces decidí asegurarle a Telassim un futuro feliz haciéndole estudiar los misterios del Cálculo y de la Geometría.

58. *Moharra.* Mes del calendario árabe.
59. Al-Kharismi. Matemático y astrónomo persa que vivió en el siglo IX.

El jeque hizo una breve pausa y prosiguió luego:

–Traté hallar a alguien entre los varios *ulemas*[60] de la corte, pero no logré encontrar ni uno que se viera capaz de enseñar Geometría a una joven de 17 años. Uno de ellos, dotado sin embargo de gran talento, intentó incluso disuadirme de mi propósito: "Quien intentara enseñar a cantar a una jirafa –me dijo– cuyas cuerdas vocales son incapaces de producir el menor ruido, perdería lamentablemente el tiempo y haría un trabajo inútil. La jirafa jamás cantará. Y el cerebro femenino –me dijo el *daroes*[61]– es incompatible con las más sencillas nociones de Cálculo y de Geometría. Esta incomparable ciencia se basa en el raciocinio, en el empleo de fórmulas y en la aplicación de principios demostrables con los poderosos recursos de la Lógica y de las proporciones. ¿Cómo va a poder una muchacha encerrada en el harén de su padre aprender las fórmulas del Álgebra y los teoremas de la Geometría? ¡Nunca! Es más fácil para una ballena ir a La Meca[62] en peregrinación que para una mujer aprender Matemáticas. ¿Para qué luchar contra lo imposible? *¡Maktub!*[63] "Si la desgracia ha de caer sobre nosotros, hágase la voluntad de Allah..."

El jeque, preocupado, se levantó de su cojín y caminó unos pasos hacia uno y otro lado. Luego prosiguió con melancolía aún mayor:

–Al oír estas palabras, el desánimo, el gran corruptor, se adueñó de mi espíritu. No obstante, yendo un día a visitar a mi buen amigo Salem Nasair, el mercader, oí elogiosas referencias sobre el nuevo calculador persa que había llegado a Bagdad. Me habló del episodio de los ocho panes. El caso, narrado con todo detalle, me impresionó profundamente. Procuré conocer al calculador de los ocho panes y fui a esperarle especialmente a casa del visir Maluf. Y quedé asombrado

60. *Ulema*. Sabio, doctor de la ley mahometana.

61. *Daroes*. Santón, monje musulmán que vive en mendicidad.

62. Meca, La. Ciudad Santa de Arabia, Patria de Mahoma.

63. *¡Mactub!* ¡Estaba escrito!

ante la original solución dada al problema de los 257 camellos, reducidos al final a 256. ¿Te acuerdas?

Entonces el jeque Iezid, levantó su mirada apuntando al calculador, y añadió:

–¿Podrás, *¡oh hermano de los árabes!*, enseñar los secretos del Cálculo a mi hija Telassim? Pagaré por las lecciones el precio que me pidas. Y podrás, como hasta ahora, seguir ejerciendo el cargo de secretario del visir Maluf.

–¡Oh, jeque bondadoso! –contestó enseguida Beremiz– No veo motivo que me impida dejar de atender a su honrosa invitación. En pocos meses podré enseñar a su hija todas las operaciones algebraicas y los secretos de la Geometría. Se equivocan doblemente los filósofos cuando creen medir con unidades negativas la capacidad intelectual de la mujer. La inteligencia femenina, cuando se halla bien orientada, puede recibir con incomparable perfección los secretos de la ciencia. Sería muy fácil desmentir los conceptos equivocados dichos por el *daroes*. Los historiadores citan varios ejemplos de mujeres que destacaron en el cultivo de la Matemática. En Alejandría, por ejemplo, vivió Hipatia[64], que enseñó la ciencia del Cálculo a centenares de personas, comentó las obras de Diofanto[65], analizó los dificilísimos trabajos de Apolonio[66] y rectificó todas las tablas astronómicas entonces empleadas. No hay motivo para incertidumbre o temor, ¡Oh jeque! Su hija comprenderá la ciencia de Pitágoras[67]. *¡Inch'Allah!*[68]. Sólo espero que determine el día y hora en que tengo que iniciar las lecciones.

Iezid respondió:

64. Hipatia. Mujer que vivió en el siglo V en Alejandría. Fue lapidada por los cristianos por pagana.
65. Diofanto. Matemático griego (325,409).
66. Apolonio. Geómetra griego (¿268 -180? a. de J.C.)
67. Pitágoras. Filósofo y matemático griego nacido en Samos (580 -500? a. de C.).
68. *¡Inch'Allah!* ¡Quiera Dios!

–¡Cuanto antes, mejor! Telassim cumplió 17 años, y estoy ansioso de protegerla de las tristes previsiones del astrólogo.

Y añadió:

–Tengo que advertirte de una particularidad que no deja de tener su importancia. Mi hija vive encerrada en el harén y jamás fue vista por ningún hombre extraño a nuestra familia. Sólo podrá asistir a las clases de Matemáticas oculta tras un espeso tapiz y con el rostro cubierto por un velo. Será vigilada por dos esclavas de confianza. ¿Aceptas, a pesar de esta condición, mi propuesta?

–Acepto sin problemas –respondió Beremiz–. Queda claro que el recato y el pudor de una joven valen más que los cálculos y las fórmulas algebraicas. Platón[69], el filósofo, mandó colocar a la puerta de su escuela el siguiente letrero: "*Nadie entre si no sabe Geometría*". Un día se presentó un joven de costumbres libertinas y mostró deseos de frecuentar la Academia platónica. El maestro, sin embargo, se negó a admitirlo, diciendo: "*La Geometría es toda ella pureza y simplicidad. Y tu falta de pudor ofende a una ciencia tan pura*". El célebre discípulo de Sócrates[70] procuraba de ese modo demostrar que la Matemática no armoniza con la depravación y con la torpe indignidad de los espíritus inmorales.

Serán, entonces, encantadoras las lecciones dadas a la joven que no conozco, y cuyo rostro jamás tendré la fortuna de admirar. Si Allah quiere, mañana mismo podré empezar las clases.

–De acuerdo –dijo el jeque–. Uno de mis siervos vendrá mañana a buscarte poco después de la oración segunda. *¡Uassalam!*[71]

Cuando el jeque Iezid dejó la hostería, hablé al calculador porque creí que el compromiso era superior a sus fuerzas.

–Beremiz, escucha. En todo esto hay un punto oscuro para mí.

69. Platón. Filósofo griego (428-347 a. de C.).

70. Sócrates. Filósofo griego (470-399 a. de C.). Maestro de Platón.

71. *¡Uassalam!* Fórmula de despedida.

¿Cómo vas a poder enseñar Matemáticas a una joven cuando en verdad nunca estudiaste esta ciencia en los libros ni asististe a las lecciones de los *ulemas*? ¿Cómo lograste aprender el cálculo que aplicas con tanta brillantez y oportunidad? Bien sé, ¡oh Calculador!, que empezaste a desvelar los misterios de la Matemática entre ovejas, higueras y bandadas de pájaros cuando eras pastor allá en tu tierra...

–¡Bagdalí, estás muy equivocado! –respondió con tranquilidad el calculador–. Mientras cuidaba los rebaños de mi amo, allá en Persia, conocí a un viejo *derviche*[72] llamado Nó-Elim. Una vez lo salvé de la muerte en medio de una violenta tormenta de arena. Desde aquel día fue mi mejor amigo. Era un hombre sabio y me enseñó muchas cosas útiles y maravillosas.

Luego de las lecciones recibidas de tal maestro, soy capaz de enseñar Geometría hasta el último libro del inolvidable Euclides Alejandrino[73].

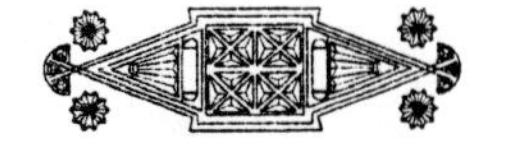

72. Derviche. Religioso mahometano.
73. Euclides Alejandrino, matemático griego (siglo III a. de J. C.)

Capítulo X

De nuestro arribo al palacio de Iezid. El molesto Tara-Tir no confía en los cálculos de Beremiz. Los pájaros enjaulados y los números perfectos. El Hombre que Calculaba exalta la bondad del jeque. De la música que llegó a nuestros oídos, llena de melancólica añoranza como el canto de un ruiseñor.

Poco tiempo después de la cuarta hora dejamos la hostería y tomamos el camino que nos llevaría a la casa de Iezid-Abul-Hamid.

Fuimos guiados por un siervo muy amable y educado; rápidamente cruzamos las calles tortuosas del barrio de Muassan y arribamos a un majestuoso palacio alzado en el medio de un cuidado parque.

Beremiz se maravilló con el aire distinguido que el rico Iezid procuraba dotar a su residencia. En el centro de dicho parque se levantaba una cúpula plateada donde los rayos del sol se abrían en fantásticos efectos de color. Un patio grande, cerrado por un portón de hierro adornado con bellos detalles artísticos, marcaba la entrada al interior del edificio.

Un segundo patio interior, que poseía en el centro un jardín muy cuidado, separaba el edificio en dos pabellones. Uno de ellos estaba ocupado por los aposentos particulares; el otro estaba destinado a los salones de reunión y a la sala donde el jeque se reunía a menudo con *ulemas*, poetas y visires.

El palacio, a pesar de la excelsa ornamentación artística de las columnas, parecía triste y sombrío. Quien se fijara en las ventanas enrejadas no podría apreciar las pompas del arte con que todos los aposentos estaban interiormente revestidos.

Una larga galería con arcadas, sustentada por nueve o diez esbeltas columnas de mármol blanco, con arcos de herradura, zócalos de azulejos en relieve y el piso de mosaico, comunicaba los dos pabellones y dos soberbias escaleras de honor, también de mármol blanco, llevaban al jardín, donde había un manso lago rodeado de flores de formas y perfumes diversos.

Una gran jaula llena de pájaros, adornada también de arabescos de mosaico, parecía ser la pieza destacada del jardín. Había en ella aves de canto exótico, formas singulares y rutilante plumaje. Algunas, de gran belleza, pertenecían a especies desconocidas para mí.

Fuimos recibidos muy cordialmente por el dueño de la casa; llegó a nuestro encuentro desde el jardín. Venía acompañado por un joven moreno, flaco, de anchos hombros, que no demostró demasiada amabilidad en su comportamiento. Ostentaba en la cintura un distinguido puñal con empuñadura de marfil. Tenía la mirada penetrante y agresiva. Su manera de hablar, agitada e inquieta, resultaba muy desagradable.

–¿Así que este es el calculador? –observó marcando sus palabras con un tono de desdén–. ¡Qué buena fe tienes, querido Iezid! ¿Vas a permitir que un mendigo cualquiera se acerque y dirija la palabra a la bella Telassim? ¡Es lo que faltaba! ¡Por Allah! ¡Eres un ingenuo!

Luego desató una carcajada burlona.

La grosería me indignó y tuve ganas de acabar a puñetazos con la descortesía de aquel atrevido. Pero Beremiz no perdió la calma. Era incluso posible que el calculador descubriera en aquel momento, en las palabras insultantes que acababa de oír, nuevos elementos para hacer cálculos y resolver problemas.

El poeta, molesto por la actitud ofensiva de su amigo, dijo:

–Disculpas, Calculador, el juicio precipitado de mi primo *el-hadj*[74] Tara-Tir. Él nada conoce y, por tanto, no puede valorar debidamente,

74. El-hadj. Precedido al nombre de persona, indica que ésta ha ido a La Meca.

tu capacidad matemática, y está más preocupado que cualquier otro por el futuro de Telassim.

El joven dijo:

–¡Claro que desconozco los talentos matemáticos de este extranjero! Para nada me importa saber cuántos camellos pasan por Bagdad en busca de sombra y alfalfa, replicó el iracundo Tara-Tir, con desdén y sonriendo torvamente.

Luego, hablando rápido, atropellándose con las palabras, siguió:

–Querido primo, puedo probarte en pocos minutos que estás totalmente equivocado con respecto a la capacidad de este aventurero. Si me lo permites, voy a acabar con su ciencia fundamentada en dos o tres banalidades que escuché a un maestro de Mosul.

–¡Sí, si así lo quieres!, ¿por qué no lo iba a permitir?, consintió Iezid. Ahora mismo puedes interrogar a nuestro Calculador y plantearle el problema que se te ocurra.

–¿Un problema? ¿Para qué? ¿Quieres acaso confrontar la ciencia del ulema que estudia con la del chacal que aúlla? –exclamó de manera grosera–. Te aseguro que no va a ser necesario inventar ningún problema para desenmascarar al sufista[75] ignorante. Llegaré al resultado que pretendo sin necesidad de fatigar la memoria y mucho antes de lo que piensas.

Señaló hacia la gran pajarera e interpeló a Beremiz fijando en él sus ojos que destellaban con fuerza y frialdad.

–¡Responde, "Calculador del Ánade"! ¿Cuántos pájaros hay en la pajarera?

Beremiz Samir se cruzó de brazos y comenzó a observar con atención el vivero indicado. Sería prueba de locura –pensé yo– intentar contar los pájaros que revoloteaban inquietos por la jaula, saltando con increíble ligereza de una percha a otra.

Un silencio expectante ganó la escena.

75. Sufista. Perteneciente a una secta musulmana.

Luego de unos segundos, el calculador se volvió hacia el generoso Iezid y le dijo:

–Ruego, ¡oh jeque!, que mandes soltar inmediatamente a tres de esos pájaros cautivos; será así más sencillo y agradable para mí anunciar el número total.

La petición parecía un disparate. Es lógico que quien sea capaz de contar cierto número podrá contarlo también con tres unidades más.

Iezid, intrigado con el pedido del Calculador, llamó al encargado de la pajarera y dio la orden para que fuera atendida la petición de Beremiz. Liberados de la prisión, tres lindos colibríes, volaron raudos hacia el cielo.

–Entonces ahora hay en esta pajarera –dijo Beremiz en tono pausado– cuatrocientos noventa y seis pájaros.

–¡Admirable! –exclamó Iezid entusiasmado–. ¡La cifra exacta! ¡Tara-Tir lo sabe! Yo se lo dije: medio millar exacto había en mi colección. Ahora, libres los tres que soltamos y un ruiseñor que mandé a Mosul, quedan 496.

–El acierto fue por casualidad –refunfuñó Tara-Tir con gesto de rencor–.

El poeta Iezid, instigado por la curiosidad, preguntó a Beremiz:

–¿Puedes contarme, amigo, por qué elegiste contar 496, cuando tan sencillo eran sumar 496 + 3, o sea simplemente 499?

–Lo explicaré ¡oh jeque! –respondió con orgullo Beremiz–. Los matemáticos prefieren los números notables y evitan los resultados inexpresivos o vulgares. Entre el 499 y el 496 no hay duda posible. El número 496 es un número perfecto y debe merecer toda nuestra preferencia.

–¿Qué es lo quiere decir un número perfecto? –preguntó el poeta–. ¿En qué consiste su perfección?

–Número perfecto –explicó Beremiz– es el que presenta la propiedad de ser igual a la suma de sus divisores, excluyéndose, claro está, de entre ellos, el propio número. Así, por ejemplo, el número 28 presenta 5 divisores menores que 28:

1, 2, 4, 7, 14.

La suma de esos divisores:

1 + 2 + 4 + 7 + 14.

es precisamente igual a 28. Luego 28 pertenece a la categoría de los números perfectos.

El número 6 también es perfecto. Los divisores de 6 –menores de 6– son:

1, 2 y 3

cuya suma es 6.

A un lado del 6 y del 28 puede figurar el 496 que es también, como ya dije, un número perfecto.

El rencoroso Tara-Tir, sin querer oír las nuevas explicaciones de Beremiz, se despidió del jeque Iezid y se retiró mascullando con ira, pues no había sido pequeña su derrota ante la pericia del Calculador. Al pasar ante mí me miró de soslayo con aire de soberano desprecio.

–Te ruego, ¡oh calculador! –se disculpó una vez más el noble Iezid–, que no te sientas ofendido por las palabras de mi primo Tara-Tir. Es un hombre de temperamento exaltado y desde que asumió la dirección de las minas de sal en Al-Derid, se ha vuelto irascible y violento. Ya sufrió cinco atentados y varias agresiones de esclavos.

El brillante Beremiz no quería causar molestias al jeque. Y respondió, lleno de mansedumbre y bondad:

–Si se desea vivir en paz con el prójimo hay que refrenar nuestra ira y cultivar la mansedumbre. Cuando me siento herido por la injuria, procuro seguir el sabio precepto de Salomón:

EL NECIO AL PUNTO DESCUBRE SU CÓLERA,
EL SENSATO SABE DISIMULAR SU AFRENTA

Nunca olvidaré las enseñanzas de mi bondadoso padre. Siempre que me veía exaltado y deseoso de venganza, me decía: "Quien se humilla ante los hombres se vuelve glorioso ante Dios."

Luego de una pequeña pausa, añadió:

–Estoy muy agradecido, sin embargo, al rudo Tara-Tir, y no le guardo el menor resentimiento. Su turbulento carácter me ha proporcionado ocasión de practicar nueve actos de caridad.

–¿Nueve actos de caridad? –se sorprendió el jeque– ¿Y cómo fue eso?

–Cada vez que ponemos en libertad a un pájaro cautivo –explicó Beremiz– practicamos tres actos de caridad. El primero para con el ave, al devolverla a la vida amplia y libre que le había sido arrebatada, el segundo para con nuestra conciencia y el tercero para con Dios.

–Dices entonces que si yo diera libertad a todos los pájaros de la pajarera.

–Te aseguro que practicarías, ¡oh jeque!, mil cuatrocientos ochenta y ocho actos de elevada caridad –exclamó Beremiz prontamente–, como si supiera de memoria el producto de 496 por 3.

Impresionado por las palabras del calculador, el generoso Iezid ordenó que fueran puestas en libertad todas las aves que se hallaban en la gran jaula.

Los siervos y esclavos quedaron asombrados. La colección, formada con paciencia y esfuerzo, valía una fortuna. En ella figuraban perdices, colibríes, faisanes multicolores, gaviotas negras, patos de Madagascar, lechuzas del Cáucaso y varios tipos de golondrinas rarísimas de China y de la India.

—¡Suelten los pájaros! —ordenó de nuevo el jeque moviendo su mano resplandeciente de anillos—. Se abrieron las puertas de tela metálica. Las aves dejaron la prisión en bandada y se extendieron por la arboleda del jardín.

Dijo entonces Beremiz:

—Cada una de las aves, con sus alas extendidas, es un libro de dos hojas abierto en el cielo. Triste crimen es robar o destruir esa menuda biblioteca de Dios.

Fue cuando comenzamos a oír las notas de una canción. La voz era tierna y suave, se confundía con el trino de las leves golondrinas y con el arrullo de las mansas palomas.

Al principio fue una melodía encantadora y triste, llena de melancólica añoranza, como las endechas de un ruiseñor en soledad. Luego se animaba en un crescendo vivo con gorjeos complicados, trinos argentinos, entrecortados gritos de amor que contrastaban con la serenidad de la tarde y resonaban por el espacio como hojas llevadas por el viento. Después volvió al primer tono, triste y doliente, y parecía resonar por el jardín con un leve suspiro:

Si hablara yo las lenguas de los hombres
y de los ángeles
y no tuviera caridad,
sería como el metal que suena
o como la campana que tañe,
¡nada sería...!
¡nada sería...!

Si tuviera yo el don de la profecía
y toda la ciencia,

de tal modo que transportase los montes
y no tuviese caridad,
¡nada sería...!
¡nada sería...!

Si distribuyese mis bienes todos
para sustento de los pobres,
y entregase mi cuerpo para ser quemado,
y no tuviese caridad,
¡nada sería...!
¡nada sería...!

El magia de aquella voz parecía envolver la tierra en una onda de misteriosa alegría. El día parecía haberse vuelto más claro.

–Es Telassim quien canta –dijo el jeque al reparar en la atención con que escuchábamos la extraña canción.

Los pájaros volaban llenando el aire con sus cantos de libertad. Eran sólo 496, pero parecían ser diez mil.

Beremiz quedó absorto. La canción penetró en su espíritu sensible y se unió a la felicidad aparecida con la liberación de los pájaros. Luego, alzó los ojos buscando de dónde partía aquella voz.

–¿Y a quién pertenecen esos bellísimos versos?– pregunté.

El jeque respondió:

–Lo ignoro. Una esclava cristiana se los enseñó a Telassim y ella no los olvidó jamás. Deben pertenecer a algún poeta nazareno. Así me dijo hace días la hija de mi tío, madre de Telassim.

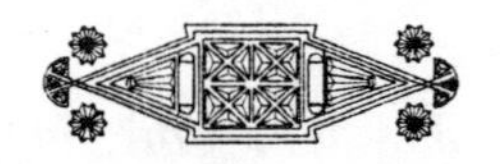

Capítulo XI

Del comienzo de Beremiz con las clases de Matemáticas. La frase de Platón. Dios es la unidad. ¿Qué es medir? Las partes de la Matemática. La Aritmética y los números. El Álgebra y las relaciones. La Geometría y las formas. La mecánica y la astronomía. El sueño del rey Asad-Abu-Carib. La "alumna invisible" envía una oración a Allah.

La ambiente donde Beremiz debería dar sus lecciones era muy grande. Quedaba dividido por una larga y pesada cortina de terciopelo rojo que se extendía desde el piso hasta el techo, que estaba coloreado, en cambio las columnas eran doradas. Sobre las alfombras se esparcían grandes cojines de seda que llevaban bordados textos del Corán[76].

Las paredes aparecían decoradas con complejos arabescos azules que se mezclaban con bellos poemas de Antar, el famoso poeta del desierto. En un lugar del centro de la estancia, frente a dos columnas, se leía en letras de oro aplicadas sobre fondo azul el siguiente dístico, procedente de la *moalakat*[77] de Antar[78].

CUANDO ALLAH AMA A UNO DE SUS SIERVOS,
LE ABRE LAS PUERTAS DE LA INSPIRACIÓN.

76. Corán. Libro sagrado de los musulmanes.
77. *Moalakat.* Telas con poemas bordados que se realizaban en los siglos I y VI.
78. Antar. Ibn Shaddad Antar. Poeta y guerrero. Vivió en el siglo VI.

Había en el aire un perfume delicado de incienso y rosas. Declinaba la tarde.

Las ventanas de mármol pulido estaban abiertas y desde ellas se podía ver el jardín y los frondosos manzanos que se extendían hasta el río de aguas turbias y tristes.

Una esclava negra permanecía de pie, con el rostro descubierto, junto a la puerta. Sus uñas estaban pintadas con *henna*[79].

–¿Está ya presente tu hija? –preguntó Beremiz al jeque.

–Sí, desde luego -respondió Iezid. Le ordené que se ubicara del otro lado del aposento, detrás del tapiz, desde donde podrá ver y oír. Será invisible, sin embargo, para todos los que aquí se encuentran.

Los elementos estaban dispuestos de tal manera que ni siquiera se notaba la silueta de la joven que iba a ser discípula de Beremiz. Quizás ella nos observe por algún minúsculo orificio hecho en la cortina de terciopelo, imperceptible para nosotros.

–Creo que podemos comenzar –dijo el jeque.

Y agregó con voz cariñosa:

–Trata de estar concentrada, Telassim, hija mía...

–Sí, padre –respondió una voz femenina al otro lado del aposento.

Beremiz estaba dispuesto a comenzar con las lecciones: cruzó las piernas y se sentó en un cojín en el centro de la sala. Yo me ubiqué discretamente en un rincón y me acomodé como pude. A mí lado se sentó el jeque Iezid.

Toda ciencia debe ser presidida por una plegaria. Fue, pues, con una plegaria como Beremiz inició sus clases.

–¡En nombre de Allah, Clemente y Misericordioso! ¡Loado sea el Omnipotente Creador de todos los mundos! ¡La misericordia de Dios es nuestro atributo supremo! ¡Te adoramos, Señor, e imploramos Tu

79. Henna. Tinte para las uñas.

asistencia! ¡Condúcenos por el camino cierto! ¡Por el camino de los iluminados y bendecidos por Ti!

Finalizada la plegaria, Beremiz habló así:

—Cuando miramos, señora, hacia el cielo en una noche en calma y límpida, sentimos que nuestra inteligencia es incapaz para comprender la obra maravillosa del Creador. Ante nuestros ojos pasmados, las estrellas forman una caravana luminosa que desfila por el desierto insondable del infinito, ruedan las nebulosas inmensas y los planetas, siguiendo leyes eternas, por los abismos del espacio, y surge ante nosotros una idea muy nítida: la noción de "número".

En Grecia vivió hace muchos años, cuando todavía aquel país estaba bajo el dominio del paganismo, un filósofo notable llamado Pitágoras —*¡Más sabio es Allah!*—. Consultado por un discípulo sobre las fuerzas dominantes de los destinos de los hombres, el sabio respondió: "Los números gobiernan el mundo".

Y es muy cierto. La línea de pensamiento más simple no puede ser formulada sin encerrar en ella, bajo múltiples aspectos, el concepto fundamental de número. El beduino que en medio del desierto, en el momento de la plegaria, murmura el nombre de Dios, tiene su espíritu dominado por un número: ¡la "Unidad"! ¡Sí, Dios, según la verdad expresada en las páginas del Libro Santo[80] y repetida por los labios del Profeta, es Uno, Eterno e Inmutable! Luego, el número aparece en el marco de nuestra inteligencia como símbolo del Creador.

Es desde el número, señora, que es la base de la razón y del entendimiento, que surge otra noción de indiscutible importancia: la noción de "medida".

La medida, señora, es comparación. Sólo son, sin embargo, susceptibles de medida las magnitudes que admiten un elemento como base de comparación. ¿Será posible medir la extensión del espacio? De ninguna manera. El espacio es infinito, y siendo así, no admite térmi-

80. Libro Santo. El Corán.

no de comparación. ¿Será posible medir la Eternidad? De ninguna manera. Dentro de las posibilidades humanas, el tiempo es siempre infinito y en el cálculo de la Eternidad no puede lo efímero servir de unidad de medida.

Pero en muchos casos, sin embargo, nos será permitido representar una dimensión que no se adapta a los sistemas de medidas por otra que puede ser estimada con seguridad. Esa permuta de dimensiones, con vistas a simplificar los procesos de medida, constituye el objeto principal de una ciencia que los hombres llaman Matemáticas.

Para alcanzar el objetivo, la Matemática debe estudiar los números, sus propiedades y sus transformaciones. A esta parte se la denomina con el nombre de Aritmética. Conocidos los números, es posible aplicarlos a la evaluación de dimensiones que varían o que son desconocidas, pero que se pueden representar por medio de relaciones y fórmulas. Tenemos así el Álgebra. Los valores que medimos en el campo de la realidad son representados por cuerpos materiales o por símbolos; en cualquier caso, estos cuerpos o símbolos están dotados de tres atributos: forma, tamaño y posición. Es importante, pues, estudiar tales atributos. Eso constituirá el objeto de la Geometría.

También la Matemática llega a las leyes que rigen los movimientos y las fuerzas, leyes que aparecen en la admirable ciencia que se llama Mecánica.

La Matemática ofrece todos sus recursos a una ciencia que eleva el alma y engrandece al hombre, la Astronomía.

Algunos suponen que, dentro de las Matemáticas, la Aritmética, el Álgebra y la Geometría constituyen partes enteramente distintas: es un grave error. Todas se auxilian mutuamente, se apoyan las unas en las otras, y, en algunos casos, incluso se confunden.

Las Matemáticas, señora, que enseñan al hombre a ser sencillo y modesto, son la base de todas las ciencias y artes.

Hay una historia sucedida con un famoso monarca yemenita y que es muy expresiva. Voy a narrarla:

Assad-Abu-Carib, rey del Yemen[81], se hallaba cierto día descansando en el amplio mirador de su palacio; entonces soñó que encontraba a siete jóvenes que caminaban por un sendero. En cierto momento, vencidas por la fatiga y por la sed, las jóvenes se detuvieron bajo el ardiente sol del desierto. Surgió en este momento una hermosa princesa que se acercó a las peregrinas llevándoles un cántaro de agua pura y fresca. La bondadosa princesa sació la sed que torturaba a las jóvenes y éstas, reanimadas, pudieron reanudar su jornada interrumpida.

Cuando despertó, intrigado por ese inexplicable sueño, determinó Assad-Abu-Carib llamar a un astrólogo muy famoso, llamado Sanib, y al que consultó sobre los posibles significados de aquella escena a la que él –rey poderoso y justo– había asistido en el mundo de las visiones y de las fantasías. Y dijo Sanib, el astrólogo: "¡Señor!, las siete jóvenes que caminaban por la senda eran las artes divinas y las ciencias humanas: la Pintura, la Música, la Escultura, la Arquitectura, la Retórica, la Dialéctica y la Filosofía. La princesa caritativa que las socorrió era la grande y prodigiosa Matemática. Sin el auxilio de la Matemática –prosiguió el sabio– las artes no pueden avanzar y todas las otras ciencias perecen". Impresionado por estas palabras, determinó el rey que se organizaran en todas has ciudades, oasis y aldeas del país centros de estudio de Matemáticas. Hábiles y elocuentes *ulemas*, por orden del soberano, concurrían a los bazares y a los paradores de las caravanas a dar lecciones de Aritmética a los caravaneros y beduinos. En poco tiempo se notó que el país despertaba en un prodigioso impulso de prosperidad. Junto al progreso de la ciencia crecían los recursos materiales; las escuelas estaban llenas de alumnos, el comercio se desarrollaba de manera prodigiosa; se multiplicaban las obras de arte; se alzaban monumentos; las ciudades viví-

81. Yemen. País de Asia.

an repletas de ricos forasteros y curiosos. El país del Yemen estaba abierto al progreso y a la riqueza, pero vino la fatalidad *–¡Maktub!–* a poner término a aquel despliegue prodigioso de trabajo y prosperidad. El rey Assad-Abu-Carib cerró los ojos para el mundo y fue llevado por el impío *Asrail*[82] al cielo de *Allah.* La muerte del soberano hizo abrir dos túmulos: uno de ellos acogió el cuerpo del glorioso monarca y al otro fue a parar la cultura artística y científica de su pueblo. Ascendió al trono un príncipe vanidoso, y de escasas dotes intelectuales. Prefería las vanas diversiones a los problemas de la administración del país. Pocos meses después, todos los servicios públicos estaban desorganizados; las escuelas cerradas; los artistas y los *ulemas,* forzados a huir bajo las amenazas de perversos y ladrones. El tesoro público fue criminalmente dilapidado en ociosos festines y banquetes desenfrenados. El país fue llevado a la ruina por el desgobierno y al fin cayó bajo el ataque de enemigos ambiciosos que lo sometieron fácilmente.

La historia de Assad-Abu-Carib, señora, demuestra que el progreso de un pueblo está en relación directa con el desarrollo de los estudios matemáticos. En todo el universo, la Matemática es número y medida. La Unidad, símbolo del Creador, es el principio de todas las cosas, que no existen sino en virtud de las inmutables proporciones y relaciones numéricas. Todos los grandes enigmas de la vida pueden reducirse a simples combinaciones de elementos variables o constantes, conocidos o incógnitos que nos permiten resolverlos.

Para comprender la ciencia es preciso tomar por base el número. Veamos cómo estudiarlo, *con ayuda de Allah, Clemente y Misericordioso.*

¡Uassalan!

Con estas palabras el calculador guardó silencio dando por terminada la primera clase de Matemáticas.

82. Asrail. En la religión mahometana, el ángel de la muerte.

Entonces se escuchó la voz de la alumna, escondida tras la cortina de terciopelo, que pronunciaba la siguiente oración:

–"¡Oh Dios Omnipotente!, Creador del Cielo y de la Tierra, perdona la pobreza, la pequeñez, la puerilidad de nuestros corazones. No escuches nuestras palabras, pero sí nuestros gemidos inexpresables; no atiendas a nuestras peticiones, sino el clamor de nuestras necesidades. ¡Cuántas veces soñamos con tener aquello que nunca podrá ser nuestro!"

"¡Dios es omnipotente!"

"¡Oh Dios! Te agradecemos este mundo, nuestro gran hogar, su amplitud y riquezas, la vida multiforme que en él habita y de la que todos nosotros formarnos parte. Te alabamos por el esplendor del cielo azul y por la brisa de la tarde y por las nubes y por las constelaciones en las alturas. Te loamos, Señor, por los océanos inmensos, por el agua que corre en los arroyos, por las montañas eternas, por los árboles frondosos y por la hierba tupida en nuestros pies reposan."

"¡Dios es misericordioso!"

"Te agradecemos, Señor, los múltiples encantos con que podemos sentir en nuestra alma las belleza, de la Vida y del Amor..."

"¡Oh Dios Clemente y Misericordioso! Perdona la pobreza, la pequeñez, la puerilidad de nuestros corazones..."

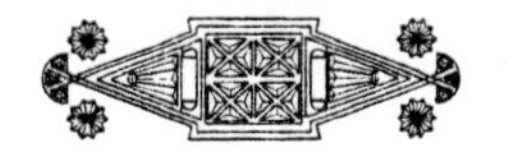

Capítulo XII

En el que Beremiz muestra un gran interés por el juego de la cuerda. La curva del Marazán y las arañas. Pitágoras y el círculo. El encuentro con Harim Namir. El problema de los sesenta melones. De cómo el vequil perdió la apuesta. La voz del muezin ciego llama a los creyentes a la oración del mogreb.

Al salir del maravilloso palacio del poeta Iezid era casi la hora del *ars*[83]. Junto al morabito[84] Ramih escuchamos un suave gorjeo de pájaros entre las ramas de una higuera.

—Observa. Seguro que hay algunos de los pájaros liberados hoy, dije a Beremiz. Es un placer escuchar la alegría de esta libertad reconquistada convertida en canto.

Pero, Beremiz no parecía tener especial interés en aquel momento por la puesta del sol o por los cantos de los pájaros. Su atención la absorbía un grupo de niños que jugaban en una calle cercana. Dos de los niños sostenían por sus extremos un fino pedazo de cuerda que tendría cuatro o cinco codos. Los otros intentaban saltar por encima de ella, mientras que los primeros la colocaban a veces más baja, a veces más alta, de acuerdo a la agilidad del que saltaba.

—¡Mira la cuerda, bagdalí —dijo el Calculador tomándome del brazo—, mira la curva perfecta! ¿No te parece digna de estudio?

—¿Qué es lo quieres decir? ¿acaso la cuerda? —exclamé—No veo nada extraordinario en una simple diversión de unos niños que aprovechan las últimas luces de la tarde para su recreo...

83. *Ars.* Oración de la tarde.

84. *Morabito.* Anacoreta musulmán.

–Entonces, amigo mío, créeme que tus ojos son ciegos frente a las mayores bellezas y maravillas de la naturaleza. Cuando los niños levantan la cuerda, sosteniéndola por los extremos y dejándola caer libremente por la acción de su propio peso, la cuerda forma una curva que tiene su interés, porque aparece como resultado de la acción de fuerzas naturales. Ya otras veces observé esa curva, que el sabio Nó-Elim llamaba *marazán*[85], en las telas y en la joroba de algunos dromedarios. ¿Tendrá esta curva alguna analogía con las derivadas de la panábola? En el futuro, si Allah lo quiere, los geómetras descubrirán medios de trazar esta curva punto por punto y estudiarán con rigor todas sus propiedades...

Hay, además, otras muchas curvas de gran importancia. El primer lugar es para el círculo. Pitágoras, filósofo y geómetra griego, consideraba el círculo como la curva más perfecta, vinculando así el círculo a la perfección. Y el círculo, siendo la curva más perfecta entre todas, es la de trazado más sencillo.

Beremiz interrumpió la disertación sobre las curvas apenas iniciada; me indicó un muchacho que se hallaba a escasa distancia y gritó:

–¡Harim Namir!

El joven prestó atención rápidamente y se fue a nuestro encuentro. Ahí reparé que se trataba de uno de los tres hermanos que habíamos encontrado discutiendo en el desierto por la herencia de 35 camellos; una división complicada llena de tercios y nonos que Beremiz resolvió por medio de un curioso artificio al que ya tuve ocasión de aludir.

–*¡Mac Allah!* –exclamó Harim dirigiéndose a Beremiz–El destino envía al gran calculador. Mi hermano Hamed no termina de aclarar una cuenta de 60 melones que nadie puede resolver.

85. *Marazán*. Cordel, cuerda.

Harim nos condujo hacia una casita donde se hallaba su hermano Hamed Namir con varios mercaderes.

Hamed se mostró muy satisfecho al ver a Beremiz y, volviéndose a los mercaderes, les dijo:

–Este hombre que acaba de entrar es un gran matemático. Gracias a su valioso auxilio conseguimos solución para un problema que nos parecía imposible: dividir 35 camellos entre tres personas. Estoy seguro de que él podrá explicar en pocos minutos la diferencia que encontramos en la venta de los 60 melones.

Beremiz recibió toda la información del caso. Uno de los mercaderes dijo:

–Los hermanos, Harim y Hamed, me pidieron que vendiera en el mercado dos partidas de melones. Harim me entregó 30 melones que debían ser vendidos al precio de 3 por 1 dinar; Hamed me entregó también 30 melones para los que estableció un precio más caro: 2 melones por 1 dinar. Una vez efectuada la venta, Harim tendría que recibir 10 dinares y su hermano, 15. El total de la venta sería pues 25 dinares.

Pero al llegar a la feria, apareció una duda en mi espíritu.

Si comenzaba a vender por los melones más caros, pensé, podía perder la clientela. Si empezaba la venta por los más baratos, luego podría estar en dificultades para vender los otros treinta. Pensé que lo mejor era vender las dos partidas al mismo tiempo.

Arribado a esta conclusión, junté los sesenta melones y comencé a venderlos en lotes de 5 por 2 dinares. El negocio se justificaba de la siguiente manera: si tenía que vender 3 por 1 y luego 2 por 1, sería más sencillo vender 5 por 2 dinares.

Una vez vendidos los 60 melones en 12 lotes de cinco cada uno, recibí 24 dinares.

Entonces, ¿cómo pagar a los hermanos si el primero tenía que recibir 10 y el segundo 15 dinares?

Tenía una diferencia de 1 dinar. No sé de qué manera explicarme la diferencia, pues, como dije, el negocio fue realizado con el mayor cuidado. ¿No es lo mismo vender 3 por 1 dinar y luego 2 por otro dinar que vender 5 por 2 dinares?

–Este caso no tendría ninguna importancia –intervino Hamed Namir–, si no fuera por la intervención absurda del *vequil*[86] que vigila en la feria. El *vequil*, oído el caso, no supo explicar la diferencia en la cuenta y apostó cinco dinares a que la diferencia se debía a la falta de un melón que había sido robado durante la venta.

–El *vequil* está en un error –dijo Beremiz–, y tendrá que pagar los dinares de la apuesta. La diferencia a que llegó el vendedor resulta de lo siguiente:

La mercancía de Harim se componía de 10 lotes de 3 melones cada uno. Cada lote debía ser vendido por 1 dinar. El total de la venta serían 10 dinares.

La mercancía de Hamed se componía de 15 lotes de dos melones cada uno, que, vendidos a 1 dinar cada lote, daban un total de 15 dinares.

Vean que el número de lotes de una partida no es igual al número de lotes de la otra.

Para vender los melones en lotes de cinco sólo los 10 primeros lotes podrían ser vendidos a razón de 5 por dos dinares; una vez vendidos esos 10 lotes, quedan aún 10 melones que pertenecen exclusivamente a la partida de Hamed y que, siendo de más elevado precio, tendrían que ser vendidos a razón de 2 por 1 dinar.

El dinar de la diferencia resultó de la venta de los 10 últimos melones. En consecuencia: no hubo robo. De la desigualdad del precio entre las partes resultó un perjuicio de 1 dinar, que quedó reflejado en el resultado final.

86. *Vequil*. Administrador de un barrio.

La voz del *muezin*[87] que llamaba a los fieles a la oración de la tarde, interrumpió la reunión.

–*¡Hai al el-salah! ¡Hai al el-salah!* [88]

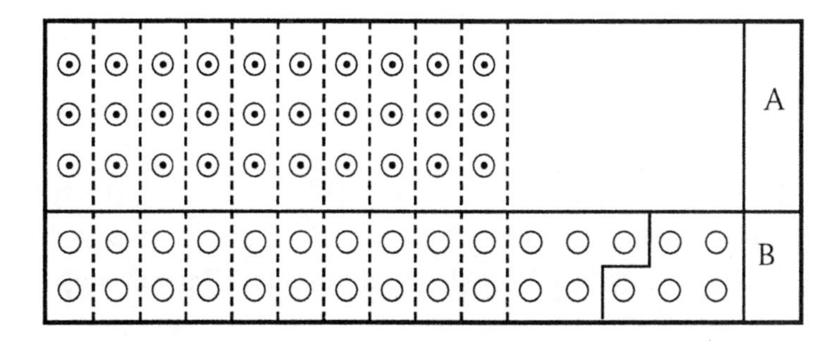

Resolución del Problema de los Sesenta Melones: "A" representa los treinta melones entregados por Harim y que, según lo ordenado, debían ser vendidos a razón de tres por un dinar. "B" representa los otros treinta melones entregados por Hamed, cuyo precio fue fijado a razón de dos por un dinar. Podemos comprobar que solo diez lotes de cinco melones cada uno (tres de "A" y dos de "B") podían ser vendidos a razón de dos dinares cada uno. Los dos últimos lotes comprenderán sólo melones del grupo "B" y por consiguiente de mayor precio.

Cada uno de nosotros procuró sin pérdida de tiempo hacer el guci ritual, según determina el Libro Santo.

El sol se encontraba ya en la línea del horizonte. Había llegado la hora del *mogreb*[89].

87. *Muezín.* Religioso musulmán que llama a la oración desde la torre de la mezquita.
88. *¡Hai al el-salah!* ¡Preparaos para la oración!
89. *Mogreb.* Oración de la tarde al anochecer.

Desde la tercera almena de la mezquita de Omar, el muezin ciego, con voz pausada y ronca, llamaba a los creyentes a oración:

–¡Allah es grande y Mahoma, el Profeta, es el verdadero enviado de Dios! ¡Venid a la oración, musulmanes! ¡Venid a la oración! ¡Recordad que todo es polvo, excepto Allah!

El grupo de mercaderes, precedidos por Beremiz, desplegaron sus alfombras policromas, se descalzaron, y se volvieron en dirección a la Ciudad Santa[90] para exclamar:

–¡Allah, Clemente y Misericordioso! ¡Alabado sea el Omnipotente Creador de los mundos visibles e invisibles! ¡Condúcenos por el camino recto, por el camino de aquellos que son por Ti amparados y bendecidos!

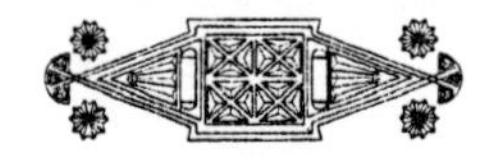

90. Ciudad Santa. Para los musulmanes, la Meca.

Capítulo XIII

De la visita al palacio del califa y de la audiencia concedida. De los poetas y la amistad. La amistad entre los hombres y la amistad entre los números. El Hombre que Calculaba es ponderado por el califa de Bagdad.

Una mañana, habían pasado cuatro días, nos comunicaron que seríamos recibidos en audiencia por el Califa Abul-Abas-Ahmed Al-Motacén Billah, Emir de los Creyentes, *Vicario de Allah*. El encuentro, de gran importancia para cualquier musulmán, era muy esperado por mí y también por Beremiz.

Era posible que el soberano hubiera mostrado interés por conocer al Hombre que Calculaba, luego de escuchar al jeque Iezid contar alguna de las proezas realizadas por el genial matemático. Es la única manera de explicar nuestra presencia en la corte, mezclados entre los hombres de más prestigio de la alta sociedad de Bagdad.

Quedé maravillado al ingresar al rico palacio del Emir. Las amplias arcadas superpuestas, formando curvas en armoniosa concordancia y sustentadas por altas y esbeltas columnas geminadas, estaban adornadas, en los puntos de donde surgían, con finísimos mosaicos. Pude notar que dichos mosaicos estaban formados por fragmentos de loza blanca y roja, alternando con tramos de estuco.

Los techos de los principales salones estaban adornados de azul y oro; las paredes de todas las salas se hallaban cubiertas de azulejos en relieve, y los pavimentos, de mosaico.

Las celosías, los tapices, los divanes, en fin todo lo que constituía el mobiliario de palacio demostraba la magnificencia insuperable de un príncipe de leyenda hindú.

Afuera, en los jardines, reinaba el mismo lujo, realzado en este caso por la mano de la naturaleza, perfumada por mil aromas diversos, cubierta de alfombras verdes, bañada por el río, refrescada por innumerables fuentes de mármol blanco junto a las que trabajaban sin cesar miles de esclavos.

Uno de los auxiliares del visir Ibrahim Maluf nos condujo hasta el diván de las audiencias.

Ahí vimos al poderoso monarca sentado en un lujoso trono de marfil y terciopelo. Me turbó en cierto modo la belleza deslumbrante del gran salón. Todas las paredes estaban adornadas con inscripciones admirables realizadas por el arte caprichoso de un calígrafo genial. Las leyendas aparecían en relieve sobre un fondo azul claro, en letras negras y rojas. Me di cuenta que aquellas inscripciones eran versos de los más destacados poetas de nuestra tierra. Por todos lados había jarrones con flores; sobre los cojines, flores deshojadas, y también flores en las alfombras o en las bandejas de oro primorosamente cinceladas.

El lugar ostentaba ricas y numerosas columnas que mostraban con orgullo sus capiteles y fustes elegantemente ornados por el cincel de los artistas arábigo-españoles, que sabían, como nadie, multiplicar las combinaciones de las figuras geométricas asociadas a hojas y flores de tulipán, de azucenas y de mil plantas diversas, en una armonía maravillosa y de indecible belleza.

Estaban presentes siete visires, dos *cadíes*, varios ulemas y diversos dignatarios ilustres y de alto prestigio.

El honorable Maluf debía hacer nuestra presentación. El visir, con los codos en la cintura y las flacas manos abiertas con la palma hacia afuera, dijo:

–Para cumplir con tu orden, ¡oh Rey del Templo!, establecí que compareciesen hoy en esta excelsa audiencia, el calculador Beremiz Samir, mi actual secretario, y su amigo, Hank-Tadé-Maiá, auxiliar de escriba y funcionario del palacio.

—¡Sean bienvenidos, oh musulmanes! —contestó el sultán con acento sencillo y amistoso—. Admiro a los sabios. Un matemático, bajo el cielo de este país, contará siempre con mi simpatía y, si preciso fuera, con mi decidida protección.

—*¡Allah badique, la sidi!*[91] —exclamó Beremiz, inclinándose ante el rey.

Me quedé estático, con la cabeza inclinada y los brazos cruzados, porque al no haber sido objeto de elogios por parte del soberano, no podía tener el honor de dirigirle el saludo.

El hombre que manejaba con sus manos el destino del pueblo árabe parecía ser bondadoso y no tener prejuicios. Tenía el rostro curtido por el sol del desierto y surcado por prematuras arrugas. Cuando sonreía, algo que practicaba con relativa frecuencia, mostraba unos dientes muy blancos y regulares. Estaba vestido con sencillez. Llevaba en la cintura, bajo la faja de seda, un bello puñal cuya empuñadura iba adornada con piedras preciosas. El turbante era verde con pequeñas barras blancas. El color verde, como se sabe, caracteriza a los descendientes de Mahoma, el Santo Profeta —*¡Con Él la paz y la gloria!*—.

—Varias cuestiones importantes quiero aclarar en esta audiencia —dijo el Califa—. Pero no quiero iniciar los trabajos, y discutir los altos problemas políticos, sin recibir antes una prueba clara y contundente de que el matemático persa, recomendado por mi amigo el poeta Iezid, es realmente un talentoso calculador.

Así interpelado, Beremiz se sintió en el deber imperioso de corresponder a la gran confianza que el jeque Iezid había depositado en él. Dirigiéndose al sultán, dijo:

—No soy yo, ¡oh Comendador de los Creyentes!, más que un duro pastor que acaba de ser distinguido con vuestra atención.

Tras una corta pausa, siguió:

91. *¡Allah badique, la sidi!* ¡Dios os guíe, señor!

–Pero mis generosos amigos creen que es justo incluir mi nombre entre los calculadores y agradezco por tan alta distinción. Pienso sin embargo que los hombres son en general buenos calculadores. Calculador es el soldado que en campaña valora con una sola mirada la distancia de una parasanga[92]; calculador es el poeta que cuenta las sílabas y mide la cadencia de los versos; calculador es el músico que aplica en la división de los compases las leyes de la perfecta armonía; calculador es el pintor que traza las figuras según proporciones invariables para atender a los principios de perspectiva; calculador es el humilde esterero que dispone uno por uno todos los hilos de su trabajo. Todos en fin, ¡oh rey!, son buenos y hábiles calculadores...

Después mirar detenidamente a los cortesanos que rodeaban el trono, Beremiz prosiguió:

–Observo con gran alegría que estás, señor, rodeado de ulemas y doctores. Veo a la sombra de vuestro poderoso trono hombres de valor que cultivan el estudio y dilatan las fronteras de la ciencia. La compañía de los sabios, ¡oh rey!, es para mí el más grato tesoro. El hombre sólo vale por lo que sabe. Saber es poder. Los sabios educan con el ejemplo, y nada hay que avasalle al espíritu humano de manera más suave y convincente que el ejemplo. Pero, no se debe cultivar en el hombre la ciencia si no es para ser utilizada en la práctica del bien.

Sócrates, filósofo griego, afirmó:

SOLO ES ÚTIL EL CONOCIMIENTO QUE NOS HACE MEJORES.

Séneca[93], otro pensador famoso, se preguntaba incrédulo:

¿QUÉ IMPORTA SABER LO QUE ES UNA LÍNEA RECTA
SI NO SE SABE LO QUE ES LA RECTITUD?

92. *Parasanga*. Medida de longitud persa equivalente a 5.250 metros.
93. Séneca. Filósofo hispanolatino, nacido en Córdoba (4?-65).

Permíteme, ¡oh rey, generoso y justo!, que rinda mi homenaje a los doctores y los *ulemas* que se encuentran en este salón.

El calculador realizó entonces una breve pausa y luego continuó en un tono solemne:

–Trabajando todos los días, observando las cosas que Allah sacó del No-Ser para llevarlas al Ser, aprendí a dar valor a los números y a transformarlos a través de reglas prácticas y seguras. Me siento, sin embargo, en dificultad para presentar la prueba que acabáis de exigir. Pero confiado en vuestra generosidad, diré que veo en este rico diván la demostración admirable y elocuente de que la matemática está presente en todas partes. Sobre las paredes de este hermoso salón hay varios poemas que encierran precisamente un total de 504 palabras, y parte de estas palabras están trazadas en caracteres negros y la restante en caracteres rojos. El calígrafo que dibujó las letras de estos poemas, haciendo la descomposición de las 504 palabras, demostró tener tanto talento e imaginación como los poetas que escribieron estos versos inmortales.

¡Así es, oh rey magnífico!, continuó Beremiz. Y la razón es muy sencilla. En estos versos incomparables que acarician este espléndido salón, encuentro grandes elogios a la Amistad. Puedo leer allí, cerca de la columna, la frase inicial de la célebre cassida[94] de Mohalhil[95]:

Si mis amigos huyeran de mi, muy infeliz sería,
pues de mí huirían todos los tesoros.

Apenas un poco más allá, leo el pensamiento de Tarafa[96]:

El encanto de la vida depende únicamente
de las buenas amistades que cultivamos.

94. *Cassida*. Poema.
95. Mohalhil. Poeta árabe del siglo VI.
96. Tarafa. Poeta árabe del siglo IV.

Allá, a la izquierda, destaca el incisivo verso de Labid[97], de la tribu de Amar-Ibn-Amir-Ibn-Sassoa:

LA BUENA AMISTAD ES PARA EL HOMBRE COMO
EL AGUA LÍMPIDA Y CLARA PARA EL SEDIENTO BEDUINO.

Así todo el conjunto es sublime, profundo y elocuente. Pero la mayor belleza está en el ingenioso artificio empleado por el calígrafo para demostrar que la amistad que los versos elevan no sólo existe entre los seres dotados de vida y sentimiento. La Amistad es real también entre los números.

¿Cómo descubrir, se preguntarán, entre los números aquellos que están unidos en las redes de la amistad matemática? ¿De qué medios se sirve el geómetra para apuntar en la serie numérica los elementos ligados por ese vínculo?

Explicaré en pocas palabras en qué consiste el concepto de números amigos en Matemáticas.

Pongamos como ejemplo los números 220 y 284.

El número 220 es divisible exactamente por los siguientes números:

1, 2, 4, 5, 10, 11, 20, 22, 44, 55 Y 110

Estos son los divisores del número 220 con excepción del mismo.

El número 284 es, a su vez, divisible exactamente por los siguientes números:

1, 2, 4, 71 Y 142.

Aquí los divisores del número 284, con excepción del mismo.

97. Labid. Su nombre completo era Rabia Abul Akil Labid, contemporáneo de Mahoma, murió en el 662.

Entonces bien, hay entre estos dos números coincidencias notables. Si sumáramos los divisores de 220 arriba indicados, obtendríamos una suma igual a 284; si sumamos los divisores de 284, el resultado será exactamente 220.

A partir de esta relación, los matemáticos concluyeron que los números 220 y 284 son "amigos", es decir, que cada uno de ellos parece existir para servir, alegrar, defender y honrar al otro.

Y concluyó el calculador:

–Entonces, rey generoso y justo, las 504 palabras que forman el elogio poético de la Amistad fueron escritas de la siguiente forma: 220 en caracteres negros y 284 en caracteres rojos. Y los números 220 y 284 son, como ya expliqué, números amigos.

Y he aquí una relación más y no menos impresionante. Las 50 palabras completan, como es fácil comprobar, 32 leyendas diferentes. Pues bien, la diferencia entre 284 y 220 es 64, número que, aparte de ser cuadrado y cubo, es precisamente igual al doble del número de las leyendas dibujadas.

El incrédulo afirmaría que todo se trata de una simple coincidencia, pero quien cree en Dios y tiene la gloria de seguir las enseñanzas del Santo Profeta Mahoma *–¡Con Él sea la oración y la paz!–* sabe que las llamadas coincidencias no serían posibles si Allah no las escribiera en el libro del Destino. Afirmo que el calígrafo, al descomponer el número 504 en dos partes (220 y 284) escribió sobre la amistad un poema que emociona a todos los hombres de claro espíritu.

El Califa quedó extasiado al escuchar el razonamiento del calculador. Era sorprendente que aquel hombre contara, de una mirada, las 504 palabras de los 30 versos y que, al contarlas, comprobase que había 220 de color negro y 284 de color rojo.

–Tus dichos, ¡oh Calculador! –declaró el rey–, me han conducido a la certeza de que en verdad eres un geómetra de gran talento. Estoy encantado con esta interesante relación que los algebristas llaman "amistad numérica", y ahora quiero saber quién fue el calígrafo que escribió, al realizar la decoración de este salón, los versos que sirven de adorno a estas paredes. Será muy fácil comprobar si la descomposición de las 504 palabras en partes que corresponden a números amigos fue hecha a propósito o resultó de un capricho del Destino –obra exclusiva de Allah, el *Exaltado*–.

Hizo que se acercara al trono uno de sus secretarios, y el sultán Al-Motacén preguntó:

–¿Recuerdas, ¡oh Nuredin Zarur!, quién fue el calígrafo que trabajó en este palacio?

–Sí, Señor, lo conozco muy bien, vive junto a la mezquita de Otman[98], respondió prontamente el jeque.

–¡Condúcelo hasta aquí, ¡oh *Sejid*![99], lo antes posible!, ordenó el califa. Quiero preguntarle de inmediato.

–¡Escucho y obedezco, Señor!

Entonces el secretario fue rápidamente a cumplir la orden impartida por el soberano.

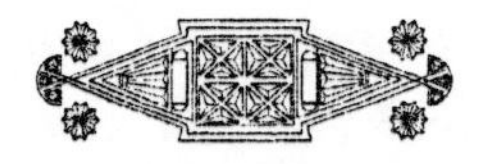

98. Otmán. Mezquita construida por Otmán, fundador del imperio otomano.
99. *Sejid*. Título que reciben los descendientes de Mahoma.

Capítulo XIV

De lo sucedido en el salón del trono. Los músicos y las bailarinas gemelas. Cómo Beremiz reconoció a Iclimia y Tabessa. La envidia de un visir, su critica a Beremiz. El elogio del Hombre que Calculaba para los teóricos y los soñadores. Es declarada por el rey la victoria de la teoría sobre la vulgaridad de lo inmediato.

Luego de que el jeque Nuredin Zarur –el emisario del rey– partiera en busca del destacado calígrafo que había decorado el salón con los poemas, ingresaron al recinto cinco músicos de origen egipcio que ejecutaron maravillosamente varias canciones y melodías árabes. Mientras vibraban laúdes, arpas, cítaras y flautas, dos hermosas bailarinas *djalicianas*[100] danzaban, en un gran tablado circular, para placer de todos los presentes.

Las esclavas seleccionadas para la danza eran puntillosamente escogidas y muy apreciadas, porque constituían el mayor ornato y distracción. Eran importantes tanto para la satisfacción personal como para obsequiar a los huéspedes; las distintas danzas ofrecidas, siendo ejecutadas según el origen de las bailarinas, eran clara señal de riqueza y poderío. Una virtud muy valorada era el parecido físico entre ellas, para lo cual era necesario una cuidadosa y esmerada selección.

El parecido entre ambas bailarinas resultaba sorprendente para todos. Ambas tenían el mismo talle esbelto, el mismo rostro moreno, los mismos ojos pintados de khol[101] negro; ostentaban pendientes,

100. *Djaliciana*. Esclava cristiana de origen español

101. *Khol*. Pintura para los ojos.

pulseras y collares exactamente iguales. Para completar las apariencias, tampoco había diferencia en sus trajes.

El Califa, que parecía estar de muy buen humor, dijo a Beremiz:

–¿Qué opinión te merecen mis lindas *adjamis*[102]? Te habrás dado cuenta de que son muy parecidas. Una se llama Iclimia y la otra Tabessa. Son gemelas y valen un tesoro. No encontré hasta hoy quien fuera capaz de distinguir con seguridad una de la otra cuando saludan desde el tablado. Iclimia, ¡mira bien!, es la que está ahora a la derecha; Tabessa está a la izquierda, junto a la columna, y nos dirige ahora su mejor sonrisa. Por el color de su piel, por el perfume delicado que exhala, parece un tallo de áloe.

–Admito, ¡oh jeque del Islam! –respondió Beremiz–, que estas bailarinas son realmente hermosas. Alabado sea *Allah, el Único*, que creó la belleza para con ella modelar las seductoras formas femeninas. De la mujer hermosa, dijo el poeta:

> *Es para tu lujo la tela que los poetas fabrican con el hilo de oro de sus imágenes; y los pintores crean para tu hermosura nueva inmortalidad.*
>
> *Para adornarte, para vestirte, para hacerte más preciosa, da el mar sus perlas, la tierra su oro, el jardín sus flores.*
>
> *Sobre tu juventud, el deseo del Corazón de los hombres derramó su gloria.*

–Pero, me parece –dijo el Calculador–, bastante fácil distinguir a Iclimia de su hermana Tabessa. Alcanza con mirar los trajes.

–¿Cómo puede ser posible? –contestó el sultán–. Es imposible que por los trajes se distinga la menor diferencia, pues ambas, por orden mía, visten velos, blusas y *mahzmas*[103] idénticos.

102. *Adjamis*. Literalmente significa: "Jóvenes de otras tierras".
103. *Mahzma*. Vestido que utilizan las bailarinas.

–Perdóname, ¡oh rey generoso! –dijo cortésmente Beremiz–, pero las costureras no cumplieron con cuidado tus órdenes. La mahzma de Iclimia tiene 312 franjas, mientras la de Tabessa tiene 309. Esa diferencia alcanza para evitar cualquier confusión entre las hermanas gemelas.

Al escuchar estas palabras, el sultán dio unas palmadas, hizo parar el baile y ordenó que un *haquim*[104] contara una por una las franjas de los volantes de las bailarinas.

El control de las franjas confirmó el cálculo de Beremiz. La hermosa Iclimia tenía en el vestido 312 franjas, y su hermana Tabessa, sólo tenía 309.

–¡*Mac Allah!*, exclamó el Califa. El jeque Iezid, pese a ser poeta, no exageró. Beremiz es verdaderamente un calculador genial. Contó las franjas de los dos vestidos mientras las bailarinas giraban sobre el tablado. ¡Es increíble! ¡Por *Allah*!

Cuando la envidia se apodera de un hombre, abre en su alma el camino hacia todos los sentimientos despreciables y torpes.

En la corte de Al-Motacén había un visir llamado Nahum-Ibn-Nahum, un hombre envidioso y malo. Al ver crecer ante el Califa el prestigio de Beremiz como onda de polvo erguida por el *simún*[105], y empujado por el despecho, planeó poner en un aprieto a mi amigo y dejarlo en una situación ridícula y falsa. Así pues, se acercó al rey y dijo pronunciando lentamente las palabras:

–Acabo de ver, ¡oh Emir de los Creyentes!, que el calculador persa, el huésped de esta tarde, se destaca al contar elementos o figuras de una serie. Contó las quinientas y pico de palabras escritas en la pared del salón, citó los números amigos, habló de la diferencia –64 que es cubo y cuadrado– y terminó por contar las franjas del vuelo del vestido de las bellas bailarinas.

104. *Haquim*. Médico a quien el rey confiaba la salud de sus esposas y esclavas.
105. *Simún*. Viento ardiente de los desiertos de Arabia y Norte de África.

No sería bueno si nuestros matemáticos emplearan el tiempo en cosas tan pueriles, sin utilidad práctica de ningún tipo. Porque, ¿de qué sirve saber si en los versos que nos gustan hay 220 o 284 palabras? La preocupación de todos los que admiran a un poeta no es contar las letras de los versos o calcular el número de palabras negras o rojas de un poema. Creo que tampoco nos interesa saber si en el vestido de esta bella y graciosa bailarina hay 312, 319 o 1.000 franjas. Son observaciones ridículas y de poco interés para los hombres de sentimiento que cultivan la belleza y el Arte.

El ingenio humano, ayudado por la ciencia, debe aplicarse a la resolución de los grandes enigmas de la Vida. Los sabios –inspirados por *Allah*, el *Exaltado*– no alzaron el deslumbrante edificio de la Matemática para que sirviera a las aplicaciones que le quiere atribuir este calculador persa. Creo que es un crimen condenar la ciencia de Euclides, de Arquímedes[106] o del maravilloso Omar Khayyam[107] –*¡Allah lo tenga en su gloria!*– a una mísera condición de contador numérico de cosas y seres. Nos interesa, pues, ver si este calculador persa es capaz de aplicar las condiciones que dice poseer a la resolución de problemas de valor real, esto es, problemas que se relacionen con las necesidades y exigencias de la vida cotidiana.

–Creo que estás un poco equivocado, señor Visir –respondió Beremiz–, y me sentiría muy honrado si me permitieras aclarar el pequeño equívoco, y para ello pido al generoso Califa, nuestro amo y señor, que me conceda permiso para seguir dirigiéndole la palabra en este salón.

–Me parece, hasta cierto punto juiciosa –dijo el rey–, la censura que acaba de hacerte el visir Nahum-Ibn-Nahum. Creo que es necesaria una aclaración. Habla, así tu palabra orientará la opinión de los que aquí se hallan.

106. Arquímedes. Matemático y físico, nacido en Siracusa, Sicilia (287-212 a. de C.).
107. Omar Khayyam. Poeta, matemático y físico persa. (1048-1123).

Capítulo XIV

Se hizo un profundo silencio en el salón.

Entonces habló el calculador:

—Los doctores y *ulemas*, ¡oh rey de los árabes!, saben que la Matemática nació con el despertar del alma humana. Pero no surgió con fines utilitarios. Fue el deseo de resolver el misterio del Universo lo que dio a esta ciencia su primer impulso. Su verdadero desarrollo resultó del esfuerzo de penetrar y comprender lo Infinito. Y aún hoy, después de habernos pasado siglos intentando en vano apartar el pesado velo, es esa búsqueda del Infinito la que nos hace avanzar. El avance material de los hombres depende de las investigaciones abstractas o científicas del presente, y será a los hombres de ciencia, que trabajan para fines puramente científicos sin pensar en la aplicación práctica de sus doctrinas, a quienes deberá la Humanidad su desarrollo material en tiempos futuros.

Beremiz hizo una breve pausa y luego siguió esbozando una sonrisa:

—Cuando el matemático realiza sus cálculos o busca nuevas relaciones entre los números, no pretende la verdad para fines utilitarios. Cultivar la ciencia por su utilidad práctica, inmediata, es torcer el alma de la propia ciencia.

Una teoría estudiada hoy, y que pueda parecer inútil, quizá tenga proyecciones inimaginables en el futuro. ¿Quién podrá imaginar el enigma en su proyección a través de los siglos? ¿Quién podrá resolver la gran incógnita de los tiempos venideros desde la ecuación del presente? *¡Sólo Allah sabe la verdad!* Es posible que las teorías de hoy proporcionen, dentro de mil o dos mil años, recursos preciosos para la práctica.

Conviene recordar que la Matemática, además de su objetivo de resolver problemas, calcular áreas y medir volúmenes, tiene finalidades mucho más elevadas.

Debido a tan alto valor en el desarrollo de la inteligencia y del raciocinio, la Matemática es uno de los caminos más seguros para llevar al hombre a sentir el poder del pensamiento, la magia del espíritu.

La Matemática es una de las verdades eternas, y, como tal, conduce a la elevación del espíritu, a una elevación igual a la que sentimos al contemplar los milagros de la Naturaleza, es a través de ellos que sentimos la presencia de Dios, Eterno y Omnipotente. Hay pues, ¡oh ilustre visir Nahum-Ibn-Nahum!, como dije, un pequeño error en su pensamiento. Cuento los versos de un poema, calculo la altura de una estrella, cuento el número de franjas de un vestido, mido el área de un país o la fuerza de un torrente, así aplico las fórmulas algebraicas y los principios geométricos, sin atender al lucro que pueda resultar de mis cálculos y estudios. Sin el sueño y la fantasía, la ciencia se envilece. Es ciencia muerta.

¡Uassalam!

Las palabras de Beremiz impresionaron a los nobles y *ulemas* que rodeaban el trono. El rey se acercó al Calculador, alzó su mano derecha y pronunció con decidida autoridad:

–La teoría del científico soñador venció y vencerá siempre al oportunismo vulgar del ambicioso sin ideal filosófico. *¡Kelimet-Ouallah!*

Escuchada la sentencia, justa y razonable, el envidioso Nahum-Ibn-Nahum se inclinó, dirigió un saludo al rey, y sin agregar una palabra más, se retiró cabizbajo del salón de las audiencias.

Mucha razón tenía el poeta al escribir:

Deja volar alto la Fantasía;
Sin ilusión, la vida ¿qué sería?

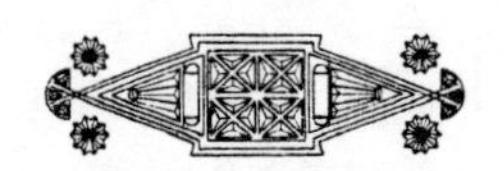

Capítulo XV

Nuredin regresa al palacio del califa con la información que obtuvo de un imán. Cómo es que vivía el calígrafo en la pobreza. Un cuadro completo de números y el tablero de ajedrez. Beremiz diserta sobre los cuadrados mágicos. Un ulema hace una consulta. El califa desea que Beremiz narre la leyenda del "juego del ajedrez".

Nuredin, no tuvo mucha suerte en la búsqueda. El calígrafo a quien el rey deseaba interrogar sobre la cuestión de los "números amigos", ya no vivía en la ciudad de Bagdad.

El noble musulmán relató su búsqueda para dar cumplimiento a la orden del Califa, habló así:

–Dejé el palacio seguido por tres guardias en dirección a la mezquita de Otman –*¡Allah la ennoblezca cada vez más!* –Un viejo imán[108] que se ocupa de la conservación del templo, me dijo que el hombre que buscaba había vivido durante varios meses en una casa cercana al lugar. Pero que no hacía mucho tiempo que había salido hacia la ciudad de Basora acompañando una caravana de vendedores de alfombras. Dijo que el calígrafo, no conocía su nombre, vivía solo y que pocas veces dejaba la pobre casa donde vivía. Pensé que era prudente revisar la antigua vivienda del calígrafo, quizá allí podría encontrar alguna indicación sobre el lugar a donde se había dirigido.

La casa estaba abandonada. Todo allí era prueba de existencia de la más lamentable de las pobrezas. Un cama destruida apoyada contra una pared era todo el mobiliario. Había, sin embargo, sobre una

108. *Imán*. Encargado de dirigir la oración.

tosca mesa de madera un tablero de ajedrez con algunas piezas, y de la pared colgaba un cuadro lleno de números. Encontré extraño que un hombre tan pobre, que arrastraba una vida llena de privaciones, cultivara el juego del ajedrez y adornara las paredes con figuras formadas con expresiones matemáticas. Entonces decidí traer el tablero y el cuadrado numérico para que nuestros dignos *ulemas* puedan observar esas reliquias dejadas por el viejo calígrafo.

El sultán, muy interesado, mandó que Beremiz examinase, con la debida atención, el tablero y la figura que más parecía trabajo de un discípulo de Al-Kharismi, que adorno para el cuarto de un pobre calígrafo.

Luego de observar detalladamente ambos objetos, el Hombre que Calculaba dijo:

–La figura numérica encontrada en el cuarto abandonado del calígrafo constituye lo que llamamos un "cuadrado mágico".

Tomemos un cuadrado y dividámoslo en 4, 9 o 16 cuadros iguales, que llamaremos "casillas".

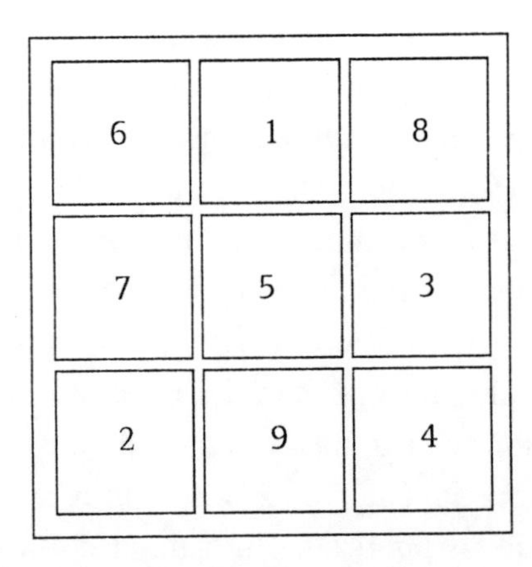

Cuadro mágico de 9 casillas. La suma de los números de cada una de estas casillas que forman una columna, hilera o diagonal, es siempre quince.

En cada una de las casillas coloquemos un número entero. La figura obtenida será un cuadrado mágico cuando la suma de los números que figuran en una columna, en una línea o en cualquiera de las diagonales, sea siempre la misma. El resultado invariable es denominado "constante" del cuadrado y el número de casillas de una línea es el módulo del cuadrado.

Los números que ocupan las diferentes casillas del cuadrado mágico deben ser todos diferentes y tomados en el orden natural.

No se sabe mucho del origen de los cuadrados mágicos. Se cuenta que la construcción de estas figuras constituía un pasatiempo que llamaba la atención de gran número de curiosos.

Los antiguos atribuían a ciertos números propiedades cabalísticas, por eso era lógico que vieran virtudes mágicas en la especial característica de estos cuadrados.

Los matemáticos chinos que vivieron 45 siglos antes de Mahoma, ya conocían los cuadrados mágicos.

El cuadrado mágico con 4 casillas no se puede construir.

El cuadrado mágico, en la India, era usado como amuleto. Un sabio del Yemen[109] afirmaba que los cuadrados mágicos servían para prevenir ciertas enfermedades. Un cuadrado mágico de plata, colgado al cuello, evitaba, según ciertas tribus, el contagio de la peste.

Los antiguos Magos de Persia, en pleno ejercicio de la medicina, decían curar las enfermedades aplicando en la parte enferma un cuadrado mágico, siempre siguiendo el conocido principio:

PRIMUM NON NOCERE

o sea: primer principio, no dañar.

Pero es en el terreno de la Matemática donde el cuadrado mágico es una curiosa particularidad.

109. Yemen. País de Asia, en la península Arábiga, junto al mar Rojo.

Cuando un cuadrado mágico presenta ciertas propiedades como, por ejemplo, ser susceptible de descomposición en varios cuadrados mágicos, lleva el nombre de hipermágico.

Entre los cuadrados hipermágicos podemos citar los diabólicos. Así se denominan los cuadrados que continúan siendo mágicos cuando trasladamos una columna que se halla a la derecha hacia la izquierda o cuando pasamos una línea de abajo arriba.

4	5	16	9
14	11	2	7
1	8	13	12
15	10	3	6

Cuadro mágico de dieciséis casillas que los matemáticos denominan "diabólico".
La constante "treinta y cuatro" de este cuadro mágico, no solamente se obtiene sumando los números de una misma columna, hilera o diagonal, sino también sumando de otras maneras cuatro números del mismo cuadro:

$4 + 5 + 11 + 14 = 34$ $\quad$ $1 + 11 + 16 + 6 = 34$

$4 + 9 + 6 + 15 = 34$ $\quad$ $10 + 13 + 7 + 4 = 34$

Las palabras de Beremiz sobre los cuadrados mágicos fueron escuchadas con la mayor atención por el rey y por los nobles musulmanes.

Un viejo y muy divertido *ulema*, después de dirigir palabras elogiosas al "eminente Beremiz Samir, del país del Irán", dijo que deseaba hacer una consulta al sabio calculador.

La consulta fue la siguiente:

–¿Será posible para un geómetra calcular la relación exacta entre una circunferencia y su diámetro?, en otras palabras, ¿cuántas veces una circunferencia contiene a su diámetro?

La respuesta formulada por el Calculador fue:

–Es imposible obtener la medida exacta de una circunferencia, ni siquiera cuando conocemos su diámetro. De esta medida debería resultar un número, pero el verdadero valor de este número lo ignoran los geómetras. Creían los antiguos astrólogos que la circunferencia era tres veces su diámetro. Pero eso no era cierto. El griego Arquímedes encontró que, midiendo 22 codos[110] la circunferencia, su diámetro debería medir aproximadamente 7 codos. Tal número resultaría así de la división de 22 por 7. Los matemáticos hindúes no están de acuerdo con este cálculo, y el gran Al-Kharismi afirmó que la regla de Arquímedes, en la vida práctica, está muy lejos de ser verdadera.

Beremiz concluyó:

–Este número parece envolver un alto misterio por estar dotado de atributos que sólo Allah podrá revelar.

Luego el calculador tomó el tablero de ajedrez y dijo dirigiéndose al rey:

–Este viejo tablero, dividido en 64 casillas negras y blancas se emplea, como se sabe, en el interesante juego que un hindú llamado Lahur Sessa[111] inventó, hace muchos siglos, para entretener a un rey de la India. El descubrimiento del juego de ajedrez se halla ligado a una leyenda que envuelve cálculos, números y notables enseñanzas.

110. Codo. Medida de longitud entre los antiguos griegos.
111. Lahur Sessa. Indio. Inventor del juego del ajedrez.

—¡Sería interesante escuchar la historia! —dijo el Califa—, ¡desearía conocerla!

—Escucho y obedezco —respondió Beremiz.

Y entonces narró la historia que se cuenta en el siguiente capítulo.

Capítulo XVI

Donde Beremiz Samir relata al califa de Bagdad la famosa leyenda sobre el nacimiento del juego del ajedrez.

No será fácil descubrir, debido a la incertidumbre presente en los documentos antiguos, la época precisa en que reinó en la India un príncipe llamado Iadava, señor de la provincia de Taligana[112]. Pero no sería justo ocultar que su nombre es señalado por varios historiadores hindúes como uno de los gobernantes más ricos y generosos de su tiempo.

Las calamidades de la guerra amargaron la vida del rey Iadava, transformando así las bondadosas ventajas de pertenecer a la realeza en inquietantes sufrimientos. Respetuoso del deber que le imponía la corona, como lo era velar por la tranquilidad de sus súbditos, el generoso monarca se vio obligado a empuñar la espada para rechazar, al frente de su pequeño ejército, un ataque brutal de un aventurero desquiciado llamado Varangul, que además se hacía llamar príncipe de Calián[113].

El enfrentamiento de las fuerzas rivales cubrió de cadáveres los campos de Dacsina[114], y ensangrentó las aguas sagradas del río Sabdhu[115]. El rey Iadava poseía, según lo que de él nos dicen los historiadores, un talento militar no frecuente. Sereno frente a la inminente

112. Taligana. Región de la India.
113. Calián. Ibídem.
114. Dacsina. Ibídem.
115. Sabdhu. Río de la India.

invasión, elaboró un plan de batalla que, al implementarse de manera perfecta, logró vencer y aniquilar por completo al enemigo de su reino.

Pero el triunfo sobre Varangul costó muchos y muy duros sacrificios. Muchos jóvenes *xatrias*[116] pagaron con su vida la seguridad del trono y el prestigio de la dinastía. Entre los muertos, con una flecha en el pecho, estaba el príncipe Adjamir, hijo del rey Iadava, que se sacrificó en lo más encendido del combate para salvar la posición que dio a los suyos la victoria.

Finalizada la campaña y asegurada las nuevas fronteras, volvió el rey a su suntuoso palacio de Andra. Ordenó la rigurosa prohibición de celebrar el triunfo con las ruidosas manifestaciones con que los hindúes solían celebrar sus victorias. Encerrado en sus aposentos, sólo salía de ellos para escuchar a sus ministros y a los sabios brahmanes[117]. Su preocupación era siempre la felicidad de su pueblo.

El tiempo pasaba, pero lejos de serenar los recuerdos de la campaña, la angustia y la tristeza del rey se fueron acentuando. ¿De qué le servían sus ricos palacios, sus elefantes de guerra, los grandes tesoros que poseía si ya no tenía a su lado a su hijo que era siempre la razón de ser de su existencia? ¿Qué valor podrían tener a los ojos de un padre sin consuelo las riquezas materiales que no apagan nunca la nostalgia del hijo perdido?

El rey no podía olvidar los detalles de la batalla en que murió Adjamir. El monarca estaba horas y horas dibujando en una gran caja de arena las maniobras realizadas por sus tropas durante el asalto. Con un surco indicaba la marcha de la infantería; al otro lado, paralelamente, otro trazo mostraba el avance de los elefantes de guerra. Un poco más abajo, representada por perfilados círculos dispuestos con simetría, aparecía la caballería mandada por un viejo *radj*[118], que

116. *Xatria.* Casta militar de la India.
117. Brahman. Casta religiosa de la India.
118. *Radj.* Jefe militar.

decía gozar de la protección de Techandra[119], diosa de la Luna. Por medio de otras líneas dibujaba el rey la posición de las columnas enemigas vencidas gracias a su estrategia.

Una vez terminado el plano, el rey borraba todo para empezar de nuevo, como si sintiera el íntimo gozo de revivir los momentos pasados en la angustia y la ansiedad.

Temprano, cuando llegaban al palacio los viejos brahmanes para la lectura de los Vedas[120], ya el rey había dibujado y borrado en la arena el plano de la batalla que así se reproducía interminablemente.

–¡Pobre monarca! –murmuraban los sacerdotes afligidos–. Obra como un *sudra*[121] a quien Dios privara de la luz de la razón. Sólo Dhanoutara[122], poderosa y clemente, podría salvarlo.

Los brahmanes rezaban por él, quemaban raíces aromáticas pidiendo a la eterna celadora de los enfermos que cuidase al soberano de Taligana.

Un día, el rey fue informado de que un joven brahmán –pobre y modesto– pedía audiencia. Lo había intentado otras veces, pero el rey se negaba alegando que no estaba de ánimo para recibir a nadie. Pero esta vez accedió a la petición y mandó que llevaran a su presencia al desconocido.

En la gran sala del trono, el brahmán fue interpelado, de acuerdo a las exigencias de ritual, por uno de los visires del rey.

–¿Cómo te llamas? ¿De dónde provienes? ¿Qué deseas de aquel que por voluntad de Vichnú[123] es rey y señor de Taligana?

–Mi nombre –respondió el joven–, es Lahur Sessa y procedo de la aldea de Namir, que está a treinta días de marcha de esta hermosa ciudad. Al lugar donde vivía llegó la noticia de que nuestro bondadoso

119. Techandra. Diosa de la mitología hindú.
120. Veda. Libro sagrado hindú.
121. *Sudra*. Casta de los esclavos de la india.
122. Dhanoutara. Diosa de la mitología hindú.
123. Vichnú. Nombre del segundo miembro de la Trinidad brahmánica.

señor pasaba sus días en medio de una profunda tristeza, amargado por la ausencia del hijo que le había sido arrebatado por la guerra. Un gran problema será para nuestro país, pensé, si nuestro soberano se encierra en sí mismo y no sale de palacio, como si fuera un brahmán ciego entregado a su propio dolor. Entonces pensé que convenía inventar un juego que pudiera distraerlo y abrir en su corazón las puertas de nuevas alegrías. Y ese es el humilde presente que vengo ahora a ofrecer a nuestro rey Iadava.

Al igual que todos los príncipes nombrados en esta o aquella página de la historia, el soberano hindú tenía el grave defecto de la curiosidad. Cuando supo que el joven brahmán le ofrecía como presente un juego desconocido, no pudo contener el deseo de ver y conocer el obsequio.

Sessa traía al rey Iavada un gran tablero cuadrado, dividido en sesenta y cuatro cuadros o casillas iguales. Sobre este tablero se colocaban, no arbitrariamente, dos series de piezas que se distinguían una de otra por sus colores blanco y negro. Se repetían simétricamente las formas de las figuras y había reglas establecidas para moverlas de diversas maneras.

Sessa instruyó con paciencia al rey, a los visires y a los cortesanos que rodeaban al monarca, en qué consistía el juego y explicó las reglas básicas:

—Cada jugador dispone de ocho piezas pequeñas: los "peones". Representan la infantería que se dispone a avanzar hacia el enemigo. Acompañando la acción de los peones, vienen los "elefantes de guerra", representados por piezas mayores y más poderosos. La "caballería", indispensable en el combate, aparece simbolizada por dos piezas que pueden saltar como dos caballos sobre las otras. Para intensificar el ataque, se incluyen los dos "visires" del rey, que son dos guerreros llenos de nobleza y prestigio. Otra pieza, dotada de amplios movimientos, más eficiente y poderosa que las demás, representará el espíritu de nacionalidad del pueblo y se llamará la "reina". Completa la colección una pieza que aislada vale poco pero que es muy fuerte cuando está amparada por las otras. Es el "rey".

El rey Iavada, intrigado por las reglas del juego, interrogaba al inventor:

–¿Por qué la reina es más fuerte y más poderosa que el propio rey?

–Tiene más poder –respondió Sessa–, porque la reina representa en este juego el patriotismo del pueblo. La fuerza del trono reside principalmente en la exaltación de sus súbditos. ¿Cómo iba a poder resistir el rey el ataque de sus adversarios si no contase con el espíritu de abnegación y sacrificio de los que le rodean y velan por la integridad de la patria?

Luego de algunas horas, el monarca, que aprendió con rapidez todas las reglas del juego, logró derrotar a sus visires en una partida impecable.

Sessa intervenía respetuoso de vez en cuando para aclarar una duda o sugerir un nuevo plan de ataque o de defensa.

En un determinado momento el rey observó, con sorpresa, que la disposición de las piezas parecía reproducir exactamente la batalla de Dacsina.

–Observa –dijo el inteligente brahmán–, que para llegar a la victoria es indispensable el sacrificio de este visir.

Entonces indicó la pieza que el rey Iadava había estado preservando con mayor empeño a lo largo de la partida.

Así Sessa demostraba que el sacrificio de un príncipe viene a veces impuesto por la fatalidad, para que de él resulte la paz y la libertad de un pueblo.

–Al escuchar estas palabras, el rey Iadava, sin ocultar su entusiasmo, dijo:

–¡Es imposible que el ingenio humano pueda alguna vez producir una maravilla comparable a este juego tan interesante e instructivo! Moviendo estas piezas tan sencillas, acabo de aprender que un rey nada vale sin el auxilio y la dedicación constante de sus súbditos, y que a veces, el sacrificio de un simple peón vale tanto como la pérdida de una poderosa pieza para obtener la victoria.

Dirigiéndose al joven brahmán, dijo:

–Amigo mío, quiero que recibas una recompensa por este maravilloso regalo que tanto me ha ayudado para aliviar mis viejas angustias. Dime, entonces, qué es lo que deseas, dentro de lo que yo puedo darte, a fin de demostrar cuán agradecido soy a quienes se muestran dignos de recompensa.

Las palabras pronunciadas por el rey no perturbaron a Sessa. Su rasgos serenos no evidenciaron la menor agitación, la más insignificante muestra de alegría o de sorpresa. Los visires le miraban atónitos y pasmados.

–¡Mi señor! –contestó el joven con mesura y con orgullo–. No deseo más recompensa por el presente que he traído, que la satisfacción de haber proporcionado un pasatiempo al señor de Taligana a fin de que con él alivie las horas prolongadas de la infinita melancolía. Estoy sobradamente recompensado, y cualquier otro premio sería excesivo.

El soberano sonrió al escuchar esa respuesta que reflejaba un desinterés muy raro entre los ambiciosos hindúes, y no creyendo en la sinceridad de las palabras de Sessa, insistió:

–Estoy asombrado ante tanto desdén y desamor por los bienes materiales, ¡oh joven!, la modestia, cuando es excesiva, es como el viento que apaga la antorcha y ciega al viajero en las tinieblas de una noche interminable. Para que pueda el hombre vencer los múltiples obstáculos que la vida le presenta, es preciso tener el espíritu preso en las raíces de una ambición que lo impulse a una meta. Exijo por tanto, que escojas sin demora una recompensa digna de tu valioso obsequio. ¿Quieres una bolsa llena de oro? ¿Quieres una arca repleta de joyas? ¿Deseas un palacio? ¿Aceptarías la administración de una provincia? ¡Aguardo tu respuesta y queda la promesa ligada a mi palabra!

–Rechaza tu ofrecimiento –respondió Sessa–, sería menos descortesía que desobediencia. Acepto entonces la recompensa que ofreces por el juego que inventé. La recompensa habrá de corresponder a vuestra generosidad. Pero no deseo ni oro, ni tierras, ni palacios. Deseo mi recompensa en granos de trigo.

–¿Granos de trigo? –exclamó el rey ante tan insólita petición–. ¿Cómo podré pagarte con tan insignificante moneda?

–Muy simple –explicó Sessa–. Me darás un grano de trigo para la primera casilla del tablero, dos para la segunda, cuatro para la tercera, ocho para la cuarta, y así, doblando sucesivamente hasta la sexagésima cuarta y última casilla del tablero. Te ruego, ¡oh rey!, de acuerdo con tu magnánima oferta, que autorices el pago en granos de trigo tal como he indicado.

El rey, los visires, los brahmanes, y todos los presentes se echaron a reír estrepitosamente al escuchar tan extraña petición. El desprendimiento que había dictado tal demanda era en verdad como para causar asombro a quien menos apego tuviera a los lucros materiales de la vida. El joven brahmán, que bien habría podido lograr del rey un palacio o el gobierno de una provincia, se contentaba con granos de trigo.

–¡Insensato! –dijo el rey–. ¿Dónde aprendiste tal desamor por la fortuna? La recompensa pedida es ridícula. Sabes muy bien que en un puñado de trigo hay un número incontable de granos. Con dos o tres medidas te voy a pagar sobradamente, según tu petición de ir doblando el número de granos a cada casilla del tablero. Esta recompensa que pretendes no llegará ni para distraer durante unos días el hambre del último paria de mi reino. Pero, mi palabra fue dada y voy a hacer que te hagan el pago inmediatamente de acuerdo con tu deseo.

El rey mandó a llamar a los algebristas más hábiles de la corte y entonces ordenó que calcularan la porción de trigo que Sessa pretendía.

Los calculadores, después de unas horas de profundos estudios, regresaron al salón para entregar al rey el resultado completo de sus cálculos.

El rey preguntó, interrumpiendo la partida que estaba jugando:

—¿Con cuántos granos de trigo voy a poder al fin corresponder a la promesa que hice al joven Sessa?

—¡Rey magnánimo! —declaró el más sabio de los matemáticos—. Calculamos el número de granos de trigo y obtuvimos un número cuya magnitud es inconcebible para la imaginación humana. Calculamos en seguida con el mayor rigor cuántas *ceiras*[124] correspondían a ese número total de granos y llegamos a la siguiente conclusión: el trigo que habrá que darle a Lahur Sessa equivale a una montaña que teniendo por base la ciudad de Taligana se alce cien veces más alta que el Himalaya[125]. Sembrados todos los campos de la India, no darían en dos mil siglos la cantidad de trigo que según vuestra promesa corresponde en derecho al joven Sessa.

¿Cómo describir aquí la sorpresa y el asombro que estas palabras causaron al rey Iadava y a sus dignos visires? Así el soberano hindú se encontraba por vez primera ante la imposibilidad de cumplir con la palabra dada.

Lahur Sessa —cuentan las crónicas de aquel tiempo—, como buen súbdito, no quiso afligir más a su soberano. Después de declarar públicamente que olvidaba la petición que había hecho y liberaba al rey de la obligación de pago conforme a la palabra dada, se dirigió con respeto al monarca y habló de esta manera:

—Medita, ¡oh rey!, sobre la gran verdad que los brahmanes muchas veces dicen y repiten: los hombres de mayor inteligencia se obcecan a veces no sólo ante la apariencia engañosa de los números sino también con la falsa modestia de los ambiciosos. Infeliz aquel que toma

124. *Ceira*. Medida de peso y capacidad utilizada en la India.

125. Himalaya. Cordillera de Asia, con los picos más altos del planeta.

sobre sus hombros el compromiso de una deuda cuya magnitud no puede valorar con la tabla de cálculo de su propia inteligencia. ¡Más inteligente es quien mucho alaba y poco promete!

Luego añadió:

–¡Menos aprendemos con la ciencia vana de los brahmanes que con la experiencia directa de la vida y de sus lecciones constantes, tantas veces desdeñadas! El hombre que más vive, más sujeto está a las inquietudes morales, aunque no las quiera. Podrá encontrarse triste, luego alegre, hoy fervoroso, mañana tibio; ora activo, ora perezoso; la compostura alternará con la liviandad. Únicamente el sabio instruido en las reglas espirituales se eleva por encima de esas vicisitudes y por encima de todas las alternativas.

Estas palabras inesperadas y sabias llegaron profundamente al espíritu del rey. Dejó de lado la montaña de trigo prometida al joven brahmán, y lo nombró primer visir.

Así Lahur Sessa, acompañando al rey en ingeniosas partidas de ajedrez y orientándolo con sabios y prudentes consejos, prestó grandes servicios al pueblo y al país, para mayor seguridad del trono y mayor gloria de su patria.

El califa Al-Motacén quedó maravillado cuando Beremiz terminó la historia del juego de ajedrez. Convocó al jefe de los escribas y ordenó que la leyenda de Sessa fuera escrita en hojas especiales de algodón y que fuera conservada en un valioso cofre de plata.

El bondadoso soberano deliberó acerca de si entregaría al Calculador un manto de honor o cien *cequíes*[126] de oro.

"Dios habla al mundo por mano de los generosos."

Causó gran regocijo el acto de magnanimidad del soberano de Bagdad. Los cortesanos que estaban en el salón eran amigos del visir Maluf y del poeta Iezid. Escucharon con simpatía las palabras del Hombre que Calculaba.

126. *Cequí.* Moneda árabe de plata.

Beremiz, después de agradecer los presentes recibidos, se retiró del salón. El Califa ahora iniciaría el estudio y juicio de distintos casos, escucharía a los honrados *cadíes*[127] y emitiría sus sabias sentencias.

Dejamos el palacio mientras anochecía. Dentro de poco comenzaría el mes de *Cha-band*[128].

127. *Cadí*. Juez entre los árabes.

128. *Cha-band*. Uno de los meses en el calendario árabe.

Capítulo XVII

*El Hombre que Calculaba es consultado en innumerables ocasiones.
Creencias y supersticiones. Unidades y figuras.
El encuentro entre el contador de historias y el calculador.
El problema de las 90 manzanas. La ciencia y la caridad.*

Luego del primer día en que estuvimos en el diván del Califa, nuestra vida cotidiana sufrió grandes modificaciones. La fama de Beremiz había crecido excepcionalmente. En la pequeña hostería en que vivíamos, los visitantes y los conocidos ofrendaban en forma constante demostraciones de simpatía y respetuosos saludos.

El Calculador se encontraba obligado, casi todos los días, a escuchar docenas de consultas. Podía ser un cobrador de impuestos que necesitaba conocer el número de *ratls*[129] contenidos en un *abas*[130] y la relación entre esas unidades y el *cate*[131]. Después podía aparecer un *haquim* ansioso de escuchar las explicaciones de Beremiz sobre la manera de curar ciertas fiebres por medio de siete nudos hechos en una cuerda. Más de una vez el Calculador fue consultado por camelleros o vendedores de incienso que preguntaban cuántas veces tenía que saltar un hombre sobre una hoguera para liberarse del demonio. A veces aparecían, de noche, soldados turcos de mirada iracunda que deseaban aprender medios seguros de ganar en el juego de dados. Muchas veces me encontré con mujeres ocultas tras espesos velos que venían a consultar tímidamente al matemático sobre los números que

129. *Ratls*. Medida de peso árabe.
130. *Abas*. Ibídem.
131. *Cate*. Medida de peso en China.

tenían que escribir en su antebrazo izquierdo para lograr buena suerte, alegría y riqueza. Querían conocer los secretos que aseguran la *baraka*[132], a una esposa feliz.

Beremiz Samir tenía para todos paciencia y bondad. Entregaba explicaciones, consejos, procuraba destruir las supersticiones y creencias de los débiles e ignorantes mostrándoles que por voluntad de Dios no hay ninguna relación entre los números y las alegrías, tristezas y angustias del corazón.

Se comportaba de esta manera guiado sólo por un elevado sentimiento de altruismo; nunca esperaba lucro o recompensa. Rechazaba el dinero que le ofrecían, y cuando un jeque rico, a quien había enseñado o resuelto problemas, insistía en pagar la consulta, Beremiz recibía la bolsa llena de dinares, agradecía el donativo, y mandaba distribuir el contenido entre los pobres del lugar.

Una vez llegó un comerciante llamado Aziz Neman, con un papel lleno de números y cuentas, para quejarse de un socio al que llamaba "ladrón miserable", "chacal inmundo", y otros epítetos no menos insultantes. Beremiz intentó calmar el ánimo del hombre guiándolo hacia el camino de la cordura.

—Es favorable estar en guardia —le dijo— contra los juicios apresurados por la pasión porque ésta deforma muchas veces la verdad. Aquél que mira a través de un cristal de color ve todos los objetos del color de dicho cristal. Si el cristal es rojo, todo le aparece como ensangrentado; si es amarillo, todo aparece de color de miel. La pasión es para el hombre como un cristal ante los ojos. Si alguien nos agrada, todo se lo alabamos y disculpamos. Si, por el contrario, nos desagrada, todo lo interpretamos de manera negativa.

Entonces revisó con paciencia las cuentas, y descubrió varios errores que desvirtuaban los resultados. Aziz se dio cuenta de que había sido injusto con su socio y quedó tan agradecido de las maneras inte-

132. *Baraka*. Significa buena suerte.

ligentes y conciliadoras de Beremiz que nos invitó, aquella noche, a pasear por la ciudad.

Nos llevó hasta el café Bazarique, situado en el extremo de la plaza de Otmán.

Allí, en medio de la sala, un famoso contador de historias captaba la atención de un importante grupo de oyentes.

Llegamos en el momento en que el jeque *El-medah*[133] finalizaba la acostumbrada oración matutina y comenzaba con la narración. Era un hombre mayor, de unos cincuenta años, casi negro, con la barba como el azabache y grandes ojos chispeantes. Vestía, como casi todos los narradores de Bagdad, un amplio paño blanco apretado en torno de la cabeza por una cuerda de pelo de camello que le daba una majestad de sacerdote antiguo. Hablaba con voz alta y vaga, alzado en medio del círculo de oyentes, sumisamente acompañado de dos tocadores de laúd y tambor. Narraba con entusiasmo una historia de amor, intercalando algunas vicisitudes de la vida del sultán. Los oyentes estaban pendientes de sus palabras. Los gestos del jeque eran tan arrebatados, su voz tan expresiva, su rostro tan elocuente que a veces daba la impresión de que había vivido las aventuras que su imaginación creaba. Hablaba de un largo viaje. Imitaba el paso lento del camello fatigado. Otras veces hacía gestos de fatiga como si fuera un beduino sediento que buscaba una gota de agua en torno a sí. Después dejaba caer los brazos y la cabeza como un hombre hundido en la más completa desesperación.

¡Gran admiración causaba aquel jeque contador de historias!

Árabes, armenios, egipcios, persas y nómadas bronceados del Hedjaz[134], quietos, conteniendo la respiración reflejaban en sus rostros las palabras del narrador. En ese momento, con el alma en los ojos, dejaban ver claramente la ingenuidad de sus sentimientos, siempre ocul-

133. *El-medah*. Contador de cuentos e historias.

134. Hedjaz. Región de Arabia.

ta bajo la apariencia de una dureza salvaje. El contador de historias iba de un lado a otro, retrocedía aterrado, se tapaba el rostro con las manos, levantaba los brazos al cielo y, a medida que más se arrebataba gracias a sus propias palabras, los músicos tocaban y batían con más entusiasmo.

La narración había atrapado a los beduinos. Al terminar, estallaron los aplausos. Luego todos los presentes empezaron a comentar en voz baja los episodios más emocionantes de la narración.

El mercader Aziz Neman, que parecía ser muy popular en el lugar, se adelantó hacía el centro de la sala y comunicó al jeque en tono solemne y decidido:

–Está aquí presente, *¡oh hermano de los árabes!*, el célebre Beremiz Samir, el calculador persa, secretario del visir Maluf.

Las miradas se dirigieron hacia Beremiz, su presencia era un honor para los parroquianos de aquel café.

El contador de historias, luego de dirigir un respetuoso saludo al Hombre que Calculaba, dijo:

–¡Amigos míos! He narrado muchas historias fantásticas de genios, reyes y *efrites*[135]. En homenaje al talentoso calculador que acaba de llegar, voy a contar una historia en la que se plantea un problema que hasta el día de hoy no tiene solución.

–¡Muy bien! ¡Muy bien! –apoyaron los oyentes.

El jeque, luego de evocar el nombre de *Allah –¡Con Él sea la oración y la gloria!–* relató el caso siguiente:

–Vivía, hace mucho tiempo, en Damasco, un campesino trabajador que tenía tres hijas. Un día, hablando con el *cadí*, el campesino dijo que sus hijas estaban dotadas de alta inteligencia y de un raro poder imaginativo.

El *cadí*, muy envidioso, se irritó al escuchar cómo el rústico elogiaba el talento de las jóvenes, y dijo:

135. *Efrit*. Genio maléfico.

—¡Es la quinta vez que escucho de tu boca elogios exagerados que elevan la sabiduría de tus hijas. Voy a convocarlas al salón para ver si en realidad están dotadas de tanto ingenio y perspicacia, como pregonas.

El cadí mandó a llamar a las tres muchachas, y dijo:

—Aquí hay 90 manzanas que irán a vender al mercado. Fátima, la mayor, llevará 50; Cunda, llevará 30, y Shia, la menor, llevará las otras 10.

Si Fátima vende las manzanas al precio de siete por 1 dinar, las otras tendrán que vender también al mismo precio, es decir siete manzanas por 1 dinar. Si Fátima vende las manzanas a 3 dinares cada una, ése será también el precio al que deberán vender las suyas Cunda y Shia. El negocio se hará de modo que las tres logren con la venta de sus respectivas manzanas una cantidad igual.

—¿Puedo deshacerme de alguna de las manzanas que llevo? —preguntó Fátima.

—De ninguna manera —objetó el impertinente *cadí*—. La condición es esta: Fátima tiene que vender 50. Cunda venderá 30 y Shia sólo podrá vender las 10 que le quedan. Las otras dos tendrán que vender las manzanas al precio que Fátima las venda. Al final tendrán que haber logrado cuantías iguales.

Así planteado, el problema parecía absurdo y disparatado. ¿Cómo resolverlo? Las manzanas, según la condición impuesta por el *cadí*, debían ser vendidas al mismo precio. Pero lógicamente, la venta de 50 manzanas tendría que producir una cantidad mucho mayor que la venta de 30 o solo 10.

Debido a que las muchachas no encontraban la manera de resolver el caso, fueron a consultar a un imán que vivía en aquella misma vecindad.

El imán, luego de completar varias hojas de números, fórmulas y ecuaciones, concluyó:

–Muchachas, la cuestión es de una sencillez cristalina. Vendan las 90 manzanas como el *cadí* ordenó y llegarán al resultado que exige.

El consejo dado por el imán en nada aclaraba el intrincado problema de las 90 manzanas propuesto por el *cadí*.

Las jóvenes se dirigieron al mercado y vendieron todas las manzanas. Esto es: Fátima vendió 50, Cunda vendió 30 y Shia las 10 que llevaba. El precio fue el mismo en los tres casos, y al final cada una obtuvo la misma cantidad. Así termina la historia. Corresponde ahora a nuestro calculador explicar cómo fue resuelto el problema.

Cuando apenas terminaba de escuchar estas palabras, Beremiz se dirigió al centro del salón y habló:

–Tiene cierto interés este problema planteado bajo la forma de un cuento. Muchas veces vi exactamente lo contrario: historias simples disfrazadas de verdaderos problemas de Lógica de Matemáticas. La solución del misterio con que el *cadí* de Damasco intentó atormentar a las jóvenes campesinas parece ser la siguiente:

Fátima empezó la venta fijando el precio de 7 manzanas por un dinar; vendió 49 de las 50 manzanas que tenía por 7 dinares, quedándose con una de resto.

Cunda, obligada a ceder las 30 manzanas por ese mismo precio, vendió 28 por 4 dinares, quedándose con dos de resto.

Shia, que disponía de 10 manzanas, vendió 7 por un dinar y se quedó con tres de resto.

Tenemos así en la primera fase del problema:

Fátima	*vendió 49 y se quedó con 1*
Cunda	*vendió 28 y se quedó con 2*
Shia	*vendió 7 y se quedó con 3*

Luego, Fátima decidió vender la manzana que le quedaba por 3 dinares.

Cunda, según la condición impuesta por el *cadí*, vendió las dos manzanas al mismo precio, esto es, a 3 dinares cada una, obteniendo 6 dinares.

Shia, vendió las 3 manzanas del resto por 9 dinares, es decir, también a tres dinares cada manzana.

Fátima:			
	1° fase	49 manzanas por	7 dinares
	2° fase	1 manzana por	3 dinares
	Total	50 " "	10 dinares

Cunda:			
	1° fase	28 manzanas por	4 dinares
	2° fase	2 manzanas por	6 dinares
	Total	30 " "	10 dinares

Shia:			
	1° fase	7 manzanas por	1 dinar
	2° fase	3 manzanas por	9 dinares
	Total	10 " "	10 dinares

Concluido el negocio, cada una de las muchachas obtuvo 10 dinares.

De esta forma se resolvió el problema del envidioso cadí.

¡Quiera Allah que los perversos sean condenados, y los buenos recompensados!

El jeque *el-medah*, encantado con la solución presentada por Beremiz, exclamó alzando los brazos:

–*¡Por la segunda sombra de Mahoma!* ¡Este joven calculador es realmente un genio! Es el primer *ulema* que descubre sin ponerse a hacer cuentas complicadas la solución exacta y perfecta del problema del *cadí.*

La multitud que llenaba el café del Otmán coreó los elogios del jeque:

–¡Bravo! ¡Bravo! ¡*Allah* iluminó al joven *ulema*!

Beremiz, luego de pedir silencio a la ruidosa concurrencia, dijo:

–Amigos míos: no merezco el honroso título de *ulema.* Loco es aquel que se considera sabio cuando mide la extensión de su ignorancia. ¿Qué puede valer la ciencia de los hombres ante la ciencia de Dios?

Antes de que cualquiera de los asistentes lo interrogara, inició la siguiente historia:

–Había una vez una hormiguita que caminando por el mundo encontró una gran montaña de azúcar. Emocionada con su descubrimiento, separó de la montaña un grano y lo llevó al hormiguero. ¿Qué es esto? – le preguntaron sus compañeras–. Esto –contestó la vanidosa– es una montaña de azúcar. La hallé en el camino y decidí traerla al hormiguero.

Añadió Beremiz con una vivacidad muy fuera de su habitual placidez:

–Así se comporta el sabio orgulloso. Trae una migaja recogida en el camino y dice que lleva el Himalaya. La Ciencia es una gran montaña de azúcar, de esa montaña sólo conseguimos apoderarnos de insignificantes pedacitos.

E insistió:

–La única ciencia que debe ser valorada por los hombres es la Ciencia de Dios.

Un barquero yemenita que se hallaba en el lugar, preguntó:

–¿Y cuál es, ¡oh Calculador!, la Ciencia de Dios?

–La Ciencia de Dios es la Caridad.

En ese momento recordé la poesía que había escuchado en voz de Telassim, en los jardines del jeque Iezid, cuando los pájaros fueron puestos en libertad:

Si hablara la lengua de los hombres
y de los ángeles
y no tuviera caridad,
sería como el metal que suena
o como la campana que tañe.
¡Nada sería!
¡Nada sería!

Cerca de la medianoche, al salir del café, varios hombres se ofrecieron para acompañarnos con sus pesadas linternas en señal de respeto, porque la noche era oscura, las calles tortuosas y se hallaban desiertas.

Levanté la vista al cielo. En lo alto, destacada en la inmensa caravana de estrellas, brillaba la inigualable Al-Schira[136].

¡Iallah![137]

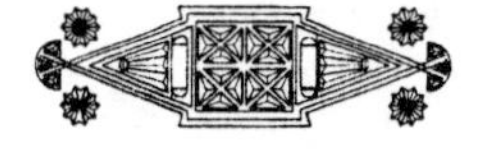

136. *Al-Schira.* Nombre que dan los árabes a la estrella Sirius.
137. *¡Iallah!!* ¡Dios sea loado!

Capítulo XVIII

Del regreso al palacio del jeque Iezid. Poetas y letrados en una reunión. El homenaje al maharajá de Lahore. La Matemática en la India. La leyenda de "la perla de Lilavati". Los grandes tratados hindúes sobre las Matemáticas.

A primera hora de la *sob*[138], al otro día, llegó a la hostería un egipcio con una carta del poeta Iezid.

–Todavía es temprano para la clase –advirtió Beremiz–Quizá mi paciente alumna no esté lista.

El egipcio explicó que el jeque, antes de la clase a su hija, quería presentar al calculador a un grupo de amigos. Entonces era necesario llegar rápido al palacio del poeta.

Por precaución, fuimos acompañados por tres esclavos negros en calidad de escolta, porque era posible que el envidioso Tara-Tir intentase atacarnos en el camino y así asesinar a Beremiz, en quien encontraba un poderoso rival.

Llegamos a la deslumbrante residencia del jeque Iezid una hora después y sin nada ocurriera. El siervo egipcio nos condujo a través de la galería hasta un rico salón azul adornado con frisos dorados.

Lo seguimos en silencio mientras pensaba en lo insólito de aquella llamada.

Llegamos frente al padre de Telassim, que estaba rodeado de varios letrados y poetas.

138. *Sob*. Amanecer.

–*¡Salam Aleicum!*[139]

–*¡Massa al-quair!*[140]

–*¡Venda ezzaiac!*[141]

Terminados los saludos, el anfitrión nos dirigió amistosas palabras y nos invitó a formar parte en aquella reunión.

Nos sentamos y una esclava negra de ojos vivos, nos trajo frutas, pasteles y agua de rosas.

Uno de los invitados, que parecía extranjero, llevaba un vestido de lujo excepcional.

Llevaba una túnica de seda blanca de Génova[142] ceñida con un cinturón azul constelado de brillantes, colgaba un bello puñal con la empuñadura incrustada de lapislázuli y zafiros. Se cubría con un vistoso turbante de seda rosa sembrado de piedras preciosas y adornado con hilos negros. La mano, trigueña y fina, estaba realzada por el brillo de los valiosos anillos que adornaban sus delgados dedos.

–Distinguido calculador –dijo el jeque Iezid–, sé que estarás sorprendido por la reunión que he organizado hoy en esta modesta tienda. Debo decir que esta reunión no tiene más finalidad que rendir homenaje a nuestro ilustre huésped, el príncipe Cluzir-el-din-Mubarec-Schá, señor de Lahore[143] y Delhi[144].

Beremiz, inclinando la cabeza, hizo un saludo al gran maharajá[145] de Lahore, que era el joven del cinturón adornado con brillantes.

139. *¡Salam Aleicum!* Saludo usual entre los musulmanes.
140. *¡Massa al-quair!* Ibídem.
141. *¡Venda Ezzaiac!* Ibídem.
142. Génova. Ciudad de Italia.
143. Lahore. Territorio de la India.
144. Delhi. Ibídem.
145. *Maharajá.* Título que se aplica a los príncipes en la India.

Sabíamos, por las charlas de los forasteros escuchadas en la hostería, que el príncipe había salido de sus ricos dominios de la India[146] para cumplir uno de los deberes del buen musulmán: hacer la peregrinación a La Meca, la Perla del Islam[147]. Pocos días pasaría, pues, entre los muros de Bagdad. Pronto partiría con sus numerosos siervos y ayudantes hacia la *Ciudad Santa*[148].

—Queremos, ¡oh Calculador! —siguió Iezid—, que nos ayudes a aclarar una duda sugerida por el príncipe Cluzir Schá. ¿Cuál fue la contribución de los hindúes al enriquecimiento de la Matemática? ¿Quiénes son los principales geómetras que destacaron en la India por sus estudios e investigaciones?

—¡Bondadoso Jeque! —respondió Beremiz—. La tarea que acabas de pedirme es de las que exigen erudición y serenidad. Erudición para conocer con todos los pormenores los hechos de la Historia de las Ciencias, y serenidad para analizarlos y juzgarlos con elevación y discernimiento. Vuestros menores deseos, ¡oh Jeque!, son sin embargo, órdenes para mí. Expondré, pues, en esta reunión, como modesto homenaje al príncipe Cluzir Schá —a quien acabo de de conocer—, las pequeñas nociones que aprendí en los libros sobre el desarrollo de la Matemática en el País del Ganges[149].

El Hombre que Calculaba, comenzó de esta manera:

—Nueve o diez siglos antes de Mohama, vivió en la India un brahmán ilustre que se llamaba Apastamba[150]. Con la intención de ilustrar a los sacerdotes sobre los sistemas de construcción de altares y sobre la orientación de los templos, este sabio escribió una obra llamada "Suba-Sutra" que contiene numerosas enseñanzas matemáti-

146. India. País de Asia Meridional.
147. Islam. Término que se usa para denominar a la religión musulmana.
148. *Ciudad Santa*. Nombre que dan los musulmanes a La Meca.
149. País del Ganges. La India.
150. Apastamba. Matemático hindú (siglo III o IV a. de J.C.).

cas. Es muy poco probable que esta obra haya recibido influencia de los pitagóricos, porque la geometría del sacerdote hindú no sigue el método de los investigadores griegos. Se encuentran, sin embargo, en las páginas de "Suba-Sutra" varios teoremas de Matemáticas y pequeñas reglas sobre construcción de figuras. Para enseñar la transformación conveniente de un altar, el sabio Apastamba propone la construcción de un triángulo rectángulo cuyos lados miden respectivamente 39, 36 y 15 pulgadas. Para la solución de este curioso problema, el brahmán aplicaba un principio que era atribuido al griego Pitágoras:

EL ÁREA DEL CUADRADO CONSTRUIDO SOBRE LA HIPOTENUSA
ES EQUIVALENTE A LA SUMA DE LAS ÁREA S DE LOS CUADRADOS
CONSTRUIDOS SOBRE LOS CATETOS.

Beremiz miró hacia donde estaba el jeque Iezid, que escuchaba con mucha atención, y habló así:

–Sería más práctico explicar, por medio de figuras, esta proposición famosa que todos deben conocer.

El jeque Iezid llamó a sus auxiliares. Al cabo de un momento dos esclavos trajeron al salón una gran caja de arena. Sobre la superficie lisa podría Beremiz trazar figuras y esbozar cálculos y problemas a fin de aclarar sus problemas al príncipe de Lahore.

–Aquí tenemos –explicó Beremiz trazando en la arena las figuras con ayuda de una vara de bambú–, un triángulo rectángulo. Su lado mayor se llama hipotenusa y los otros dos catetos.

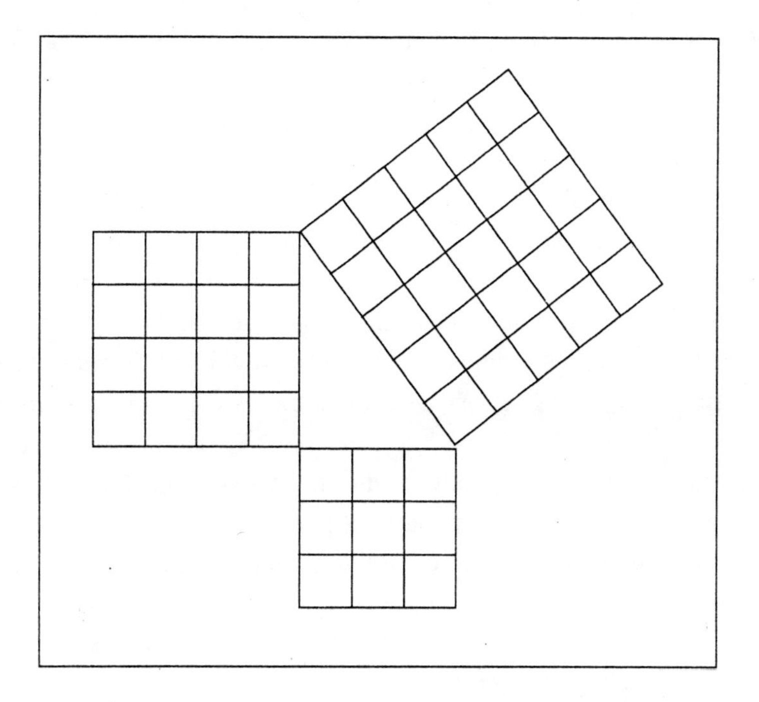

Demostración gráfica del Teorema de Pitágoras. Los lados del triángulo miden respectivamente tres, cuatro y cinco centímetros. La relación pitagórica se verifica con la igualdad:

$$5^2 = 4^2 + 3^2$$
$$25 = 16 + 9$$

Dibujemos ahora, sobre cada uno de los lados de este triángulo, un cuadrado: uno sobre la hipotenusa, otro sobre el primer cateto y el tercero sobre el segundo cateto. Será fácil probar que el cuadrado mayor, construido sobre la hipotenusa, tiene una área exactamente igual a la suma de las áreas de los otros dos cuadrados construidos sobre los catetos.

Así queda demostrada la veracidad del principio enunciado por Pitágoras.

Entonces preguntó el príncipe si aquella relación era válida para todos los triángulos.

Beremiz respondió:

–Es válida y constante para todos los triángulos rectángulos. Afirmo, sin miedo a equivocarme, que la ley de Pitágoras expresa una verdad eterna. Incluso antes de brillar el sol que nos ilumina, antes de existir el aire que respiramos, ya el cuadrado construido sobre la hipotenusa era igual a la suma de los cuadrados construidos sobre los catetos.

El príncipe estaba muy interesado en las explicaciones que escuchaba a Beremiz. Dijo con simpatía al poeta Iezid:

–¡Cuestión maravillosa es, oh amigo mío, la Geometría! ¡Qué ciencia tan notable! Percibimos en sus enseñanzas dos aspectos que encantan al hombre más rudo o más despreocupado de las cosas del pensamiento: claridad y sencillez.

Colocó su mano izquierda en el hombro de Beremiz, y preguntó al calculador con naturalidad:

–¿Esta proposición que los griegos estudiaron aparece ya en el libro "Suba-Sutra" del viejo brahmán Apastamba?

Beremiz respondió:

–¡Así es, oh príncipe! El llamado Teorema de Pitágoras puede leerse en las hojas del "Suba-Sutra" en forma apenas diferente. Por la lectura de los escritos de Apastamba aprendían los sacerdotes la manera de calcular la construcción de los oratorios, transformando un rectángulo en un cuadrado equivalente, eso es en un cuadrado de la misma área.

–¿Hay en la India otras obras de cálculo dignas de destacar? -indagó el príncipe–.

–Varias más –respondió prontamente Beremiz–. Citaré la curiosa obra "Suna-Sidauta", obra de autor desconocido, pero de mucho valor, pues expone en forma sencilla las reglas de la numeración decimal y muestra que el cero es de gran importancia en el cálculo. No menos notables para la ciencia de los brahmanes fueron los escritos de dos sabios que gozan hoy de la admiración de los geómetras: Aria-Bata[151] y Brahma-Gupta. El tratado de Aria-Bata estaba dividido en cuatro partes: "Armonías Celestes", "El Tiempo y sus Medidas", "Las Esferas" y "Elementos de Cálculo". No pocos fueron los errores descubiertos en los escritos de Aria-Bata. Este geómetra enseñaba, por ejemplo, que el volumen de la pirámide se obtiene multiplicando la mitad de la base por la altura.

—¿Y esa regla está equivocada? —interrumpió el príncipe.

—Es un error —respondió Beremiz—. Un completo error. Para el cálculo del volumen de una pirámide, debemos multiplicar, no la mitad, sino la tercera parte del área de la base, calculada en pulgadas cuadradas, por la altura, calculada en pulgadas.

A un lado del príncipe de Lahore había un hombre alto, delgado, ricamente vestido, de barba gris con hebras rubias. Un hombre de apariencia extraña para ser hindú. Pensé que podía ser un cazador de tigres y me engañé. Era un astrólogo hindú que acompañaba al príncipe en su peregrinación a La Meca. Llevaba un turbante azul de tres vueltas, bastante llamativo. Se llamaba Sadhu Gang y estaba muy interesado en escuchar las palabras de Beremiz.

En un momento, el astrólogo Sandhu intervino en los diálogos. Hablaba con acento extranjero; preguntó a Beremiz:

—¿Es cierto que la Geometría en la India fue estudiada por un sabio que conocía los secretos de los astros y los altos misterios de los cielos?

La pregunta no perturbó al calculador. Luego de meditar unos instantes, tomó Beremiz su caña de bambú, borró todas las figuras trazadas en la caja de arena y escribió sólo un nombre:

151. Aria-Bata. Matemático y astrónomo hindú.

Bhaskara, el Sabio[152]

Y dijo:

–Aquí el nombre del más famoso geómetra de la India. Bhaskhara conocía los secretos de los astros y estudiaba los altos misterios de los cielos. Nació en Bidom[153], en la provincia del Decán[154], cinco siglos después de Mahoma. La primera obra de Bhaskhara se titulaba *Bija-Ganita.*

–¿Bija-Ganita? –repitió el hombre del turbante azul–. Bija quiere decir "simiente" y ganita, en uno de nuestros viejos dialectos, significa "contar", "calcular", "medir".

–Así es –confirmó Beremiz–. La mejor traducción para el título de esa obra sería: *El Arte de Contar Simientes.*

Aparte del *Bija-Ganita*, el sabio Bhaskhara escribió otra obra famosa: *Lilavati.* Sabemos que era el nombre de la hija de Bhaskhara.

El astrólogo volvió a interrumpir.

–Cuentan que hay una leyenda en torno a Lilavati. ¿Conoces, ¡oh calculador!, la leyenda de que te hablo?

–Sí –respondió Beremiz–, la conozco perfectamente, y si así lo desea nuestro príncipe, podría contarla ahora.

–¡Por Allah! –exclamó el príncipe de Lahore–. ¡Escuchemos la leyenda de Lilavati! ¡Con mucho gusto la escucharé! Estoy seguro de que va a ser muy interesante.

A una señal del poeta Iezid, dueño de la casa, aparecieron en al sala cinco o seis esclavos que ofrecieron a los invitados carne de faisán, pasteles de leche, bebidas y frutas.

Cuando finalizó la merienda y hechas las abluciones de ritual, pidieron de nuevo al calculador que narrara la historia.

152. Bhaskara, El Sabio. Geómetra hindú (siglo XIII).

153. Bidom. Ciudad de la India.

154. Decán. Provincia de la India.

Beremiz empezó a hablar:

–*¡En nombre de Allah, Clemente y Misericordioso!* Se cuenta que el famoso geómetra Bhaskhara, el Sabio, tenía una hija llamada Lilavati.

Voy a recordar su origen, es muy interesante. Al nacer, el astrólogo consultó las estrellas y por la disposición de los mismos comprobó que estaba condenada a permanecer soltera toda la vida y que quedaría olvidada por el amor de los jóvenes patricios. No se conformó Bhaskhara con esa determinación del Destino y recurrió a las enseñanzas de los astrólogos más famosos de su tiempo. ¿Cómo hacer para que la graciosa Lilavati pudiera lograr marido y ser feliz en su matrimonio?

Un astrólogo consultado por Bhaskhara aconsejó que condujera a su hija a la provincia de Dravira[155], junto al mar. Allí había un templo excavado en la piedra donde se veneraba una imagen de Buda[156] que llevaba en la mano una estrella. Sólo en Dravira, dijo el astrólogo, podría Lilavati encontrar novio, pero el matrimonio sólo sería feliz si la ceremonia del enlace quedaba marcada en cierto día en el cilindro del tiempo.

Al fin Lilavati fue pedida en matrimonio por un joven rico, trabajador, honesto y de buena casta. Fijado el día y marcada la hora, se reunieron los amigos para asistir a la ceremonia.

Los hindúes hacían sus mediciones, calculaban y determinaban las horas del día con auxilio de un cilindro colocado en un vaso lleno de agua. El cilindro, abierto sólo en su parte más alta, presentaba un pequeño orificio en el centro de la superficie de la base. A medida que el agua, entrando por el orificio de la base, invadía el cilindro, éste se hundía en el vaso hasta que llegaba a desaparecer por completo, a una hora previamente determinada.

155. Dravira. Ibídem.
156. Buda. Nombre que se da al fundador de la religión budista, Siddharta Gotama.

Dispuso Bhaskhara el cilindro de las horas en la posición adecuada con mucho cuidado y esperó hasta que el agua llegara al nivel marcado. La novia, llevada por su incontenible curiosidad verdaderamente femenina, quiso observar la subida del agua en el cilindro y se acercó para comprobar la determinación del tiempo. Una de las perlas de su vestido se desprendió y cayó en el interior del vaso. Por una fatalidad la perla, llevada por el agua, tapó el pequeño orificio del cilindro impidiendo que siguiera entrando el agua del vaso. El novio y los invitados esperaban con paciencia, pero pasó la hora propicia sin que el cilindro la indicara como había previsto el sabio astrólogo. El novio y los invitados se retiraron para que, después de consultados los astros, se fijara otro día para la ceremonia. El joven brahmán que había pedido a Lilavati en matrimonio desapareció semanas después y la hija de Bhaskhara quedó soltera para siempre.

El sabio geómetra comprendió que es inútil luchar contra el Destino y dijo a su hija:

–Escribiré un libro que eternizará tu nombre y así seguirás en el recuerdo de los hombres durante un tiempo mucho más largo del que vivirían los hijos que pudieron haber nacido de tu malograda unión.

La obra de Bhaskhara se hizo célebre y el nombre de Lilavati, la novia malograda, sigue inmortal en la historia de las Matemáticas.

En referencia a las Matemáticas, el *Lilavati* es una exposición metódica de la numeración decimal y de las operaciones aritméticas entre números enteros. Estudia minuciosamente las cuatro operaciones, el problema de la elevación al cuadrado y al cubo, enseña la extracción de la raíz cuadrada y llega incluso al estudio de la raíz cúbica de un número cualquiera. Aborda después las operaciones sobre números fraccionarios, con la conocida regla de la reducción de las fracciones a un común denominador.

Bhaskhara adopta para los problemas enunciados humorísticos e incluso románticos.

Este es uno de los problemas del libro de Bhaskhara:

Amable y querida Lilavati de ojos dulces como la tierna y delicada gacela, dime cuál es el número que resulta de la multiplicación de 135 por 12.

En el libro de Bhaskhara figura otro interesante problema referido al cálculo de un enjambre de abejas:

La quinta parte de un enjambre de abejas se posó en la flor de Kadamba[157]*, la tercera en una flor de Silinda*[158]*, el triple de la diferencia entre estos dos números voló sobre una flor de Krutaja*[159]*, y una abeja quedó sola en el aire, atraída por el perfume de un jazmín y de un pandnus*[160]*... Dime, bella niña, cuál es el número de abejas que formaban el enjambre.*

Bhaskhara demostró que los problemas más complicados pueden ser presentados de una forma viva y hasta graciosa.

Beremiz, siempre dibujando figuras en la arena, presentó al príncipe de Lahore varios problemas curiosos recogidos del Lilavati.

¡Pobre Lilavati!

Al pronunciar el nombre de la desdichada muchacha, recordé los versos del poeta:

Tal como el océano a la Tierra así tú, mujer, rodeas el corazón del mundo con el abismo de tus lágrimas.

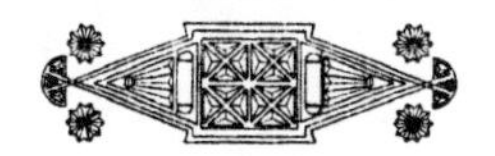

157. Kadamba. Flor oriental
158. Silinda. Ibídem.
159. Krutaja. Ibídem.
160. Padnus. Ibídem.

Capítulo XIX

Donde se cuentan los elogios que el príncipe Cluzir dedicó a el Hombre que Calculaba. Beremiz soluciona el problema de los tres marineros y descubre el misterio de una medalla. La generosidad del maharajá de Lahore.

El elogio realizado por Beremiz de la ciencia hindú, valorando una página de la Historia de las Matemáticas, dejó una favorable impresión en el espíritu del príncipe Cluzir Schá. El soberano, impresionado por las palabras, dijo que consideraba al calculador como un gran sabio, con la capacidad de enseñar el Álgebra de Bhaskhara a un centenar de brahmanes.

—He quedado maravillado —agregó—, al escuchar la leyenda de la infeliz Lilavati, que perdió su novio por culpa de una perla del vestido. Los problemas de Bhaskhara citados por el elocuente calculador son muy interesantes y presentan, en sus enunciados, ese "espíritu poético" que tan raramente se encuentra en las obras de Matemáticas. Lamento sólo que el ilustre matemático no haya mencionado el famoso problema de los tres marineros, incluido en muchos libros y que hasta ahora sigue sin solución.

—Príncipe magnánimo —respondió Beremiz—. Es cierto que entre los problemas de Bhaskhara citados no figura el viejo problema de los tres marineros. No cité ese problema porque sólo conozco la cuestión por una cita vaga, incierta y quizá dudosa; ignoro su enunciado riguroso.

–Yo lo conozco –dijo el príncipe–, y sería un gran placer recordar esta cuestión matemática que tanto ha preocupado a los algebristas.

Así el príncipe Cluzir Schá narró lo siguiente:

–Un navío que regresaba de Serendib[161] con una carga de especias fue sorprendido por una violenta tempestad.

El barco habría sido destruido por la furia de las olas si no fuera por la bravura y el gran esfuerzo de tres marineros que, en medio de la tempestad, manejaron las velas con pericia extrema.

El capitán, para recompensar a los esforzados marineros, entregó cierto número de *catils*[162]. Este número, superior a doscientos, no llegaba a trescientos. Las monedas fueron guardadas en una caja para que al día siguiente, luego del desembarco, el *almojarife*[163] las repartiera entre los tres valerosos marineros.

Ocurrió, sin embargo, que durante la noche despertó uno de los marineros, se acordó de las monedas y pensó: "Será mejor que quite mi parte. Así no tendré que discutir y pelearme con mis compañeros". Se levantó y fue donde se hallaba el dinero. Lo dividió en tres partes iguales, pero notó que la división no era exacta y que sobraba un *catil*. "Por culpa de esta miserable moneda pensó, habrá mañana una discusión entre nosotros. Es mejor tirarla." El marinero tiró la moneda al mar y volvió silenciosamente a su camastro.

Así guardó su parte y dejó en el lugar las que correspondían a sus compañeros.

Tiempo después, el segundo marinero tuvo la misma ocurrencia. Fue al arca donde se había depositado el premio y sin saber que uno de sus compañeros había retirado su parte, dividió las monedas en tres partes iguales. También sobraba una moneda. El marinero, para evitar discusiones, pensó que lo mejor era arrojarla al mar y así lo

161. Serendib. Nombre que recibía antiguamente Ceilán.

162. Catil. Moneda en los países orientales.

163. *Almojarife*. Cobrador de rentas e impuestos.

hizo. Luego regresó a su litera llevándose la parte a que se creía con derecho.

El tercer marinero, ¡oh casualidad!, tuvo también la misma idea. De igual modo, y totalmente ignorante de lo sucedido, se levantó y fue a la caja de las monedas. Dividió las que hallara en tres partes iguales, pero el reparto también resultaba inexacto. Sobraba una moneda y, para no complicar el caso, el marinero optó también por tirarla al mar. Retiró su tercera parte y volvió tranquilo a su lecho.

Al otro día, llegada la hora del desembarco, el *almojarife* del navío encontró un puñado de monedas en la caja. Las dividió en tres partes iguales y dio luego a cada uno de los marineros una de estas partes. Pero tampoco esta vez fue exacta la división. Sobraba una moneda que el amojarife se guardó como pago por su trabajo. Ninguno de los marineros hizo reclamo alguno, porque cada uno de ellos estaba convencido de que ya había retirado de la caja la parte de dinero que le correspondía.

Últimas preguntas: ¿Cuántas monedas había al principio? ¿Cuánto recibió cada uno de los marineros?

El Hombre que Calculaba, viendo que la historia contada por el príncipe había intrigado a los nobles presentes, encontró que debía solucionar completamente el problema. Habló así:

–Las monedas que eran, según se dijo, más de 200 y menos de 300, debían ser, en principio, 241.

El primer marinero las dividió en tres partes iguales, sobrándole una que tiró al mar.

$$241 : 3 = 80 \text{ cociente } 1 \text{ resto}$$

Retiró una parte y se acostó de nuevo. En la caja quedaron pues:

$$241 - (80 + 1) = 160 \text{ monedas}$$

El segundo marinero procedió a repartir entre las 160 monedas dejadas por su compañero. Pero al hacer la división, resultó que le sobraba una, optando también por arrojarla al mar.

160 : 3 = 53 cociente 1 resto

Embolsó una parte y regresó a su lecho. En este momento, en la caja sólo quedaron:

160 - (53 + 1) = 106 monedas

A su vez el tercer marinero repartió las 106 monedas entre tres iguales, comprobando que le sobraba una moneda. Por las razones indicadas decidió tirarla al mar.

106 : 3 = 35 cociente1 resto

Seguidamente, retiró una parte y se acostó. Dejaba en la caja:

106 - (35 + 1) = 70 monedas

Las monedas fueron encontradas a la hora del desembarque por el almojarife, que obedeciendo las órdenes del capitán procedió a un reparto equitativo entre los tres marineros. Pero al efectuar la división observó que después de obtener tres partes de 23 monedas, le sobraba una:

70 : 3 = 23 cociente 1 resto

Entonces entrega veintitrés monedas a cada marinero y opta por quedarse la moneda sobrante.

En definitiva, el reparto de las 241 monedas se efectuó de la manera siguiente:

ler marinero	80 + 23 = 103
2do marinero	53 + 23 = 76
3er marinero	35 + 23 = 58
Almojarife	1
Arrojadas al mar	3
Total	241

Pronunciada la parte final del problema, Beremiz se calló.

El príncipe de Lahore sacó de su bolsa una medalla de plata y dirigiéndose al calculador habló así:

–Por la solución hallada al problema de los tres marineros observo que eres capaz de dar explicación a los enigmas más intrincados de los números y del cálculo. Quiero pues que me aclares el significado de esta moneda.

La pieza, prosiguió el príncipe, fue concebida por un artista religioso que vivió varios años en la corte de mi abuelo. Estoy casi seguro que debe guardar algún enigma que hasta ahora no consiguieron descifrar ni los magos ni los astrólogos. En una de las caras aparece el número 128 rodeado de siete pequeños rubíes. En la otra, dividida en cuatro partes, aparecen cuatro números:

7, 21, 2, 98

Sé que la suma de estos cuatro números es igual a 128. ¿Pero cuál es en verdad la significación de esas cuatro partes en que fue dividido el número 128?

Beremiz recibió la medalla de manos del príncipe.

La analizó en silencio durante un tiempo y después habló:

–La medalla, ¡oh príncipe!, fue grabada por un profundo conocedor del misticismo numérico. Los antiguos creían que ciertos números tenían un poder mágico. El "tres" era divino, el "siete" era el número sagrado. Los siete rubíes que vemos aquí revelan la preocupación del artista en relacionar el número 128 con el número 7. El número 128 es, como sabemos, susceptible de descomposición en un producto de 7 factores iguales a 2:

$$2 \times 2 \times 2 \times 2 \times 2 \times 2 \times 2$$

Ese número 128 puede ser descompuesto en cuatro partes:

7, 21, 2 y 98

que presentan la siguiente propiedad:

La primera, aumentada en 7, la segunda disminuida en 7, la tercera multiplicada por 7 y la cuarta divida por 7 darán el mismo resultado; vean:

$$7 + 7 = 14$$
$$21 - 7 = 14$$
$$2 \times 7 = 14$$
$$98 : 7 = 14$$

Esa medalla fue seguramente usada como talismán, porque contiene relaciones que se refieren todas al número 7, que para los antiguos era un número sagrado.

El príncipe de Lahore se mostró agradecido por la solución presentada por Beremiz, y le ofreció como regalo, no sólo la medalla de los siete rubíes sino también una bolsa de monedas de oro.

El príncipe era generoso y bueno.

Luego ingresamos a una gran sala donde el poeta Iezid iba a ofrecer un espléndido banquete a sus convidados.

El prestigio de Beremiz iba en aumento; era prueba de ello el sitio distinguido que le reservaron en la mesa.

Algunos invitados no encontraron la manera de ocultar su molestia. A mí me ubicaron en el último lugar.

Capítulo XX

*De cómo Beremiz dio la segunda lección de Matemáticas.
Número y sentido del número. Las cifras.
Sistemas de numeración. La numeración decimal.
El cero. Escuchamos otra vez la voz
de la alumna invisible. El gramático Doreid cita un poema.*

Finalizada la comida, y a una señal del jeque Iezid, el calculador se levantó. Era la hora para la segunda clase de Matemáticas. La alumna invisible esperaba al profesor.

Luego de saludar a los presentes en el salón, Beremiz, acompañado por una esclava, se dirigió hacia la estancia preparada para la lección.

Me levanté y caminé junto al calculador, porque quería aprovechar la autorización que se me había concedido y asistir a las lecciones dadas a la joven Telassim.

Uno de los invitados, el gramático Doreid, amigo del jeque, también quiso escuchar las lecciones de Beremiz y nos siguió, dejando la compañía del príncipe Cluzir Schá. Doreid era un hombre de mediana edad, muy divertido, de rostro muy expresivo.

Cruzamos una rica galería cubierta de bellas alfombras persas, y, guiados por una esclava circasiana de asombrosa belleza, llegamos a la sala donde Beremiz debía dar la clase de Matemáticas. El tapiz rojo que ocultaba a Telassim días atrás había sido cambiado por otro azul que presentaba en el centro un gran heptágono estrellado.

El gramático y yo nos sentamos en un extremo de la sala, muy cerca de una ventana que se abría al jardín. Beremiz se acomodó como la vez anterior, en el centro de la sala, sobre un amplio cojín de seda. A un lado, sobre una pequeña mesa de ébano, había un ejemplar de el Corán. La esclava circasiana y otra persa de igual belleza se colocaron junto a la puerta. El egipcio, responsable de la guarda personal de Telassim, se apoyó en una columna.

Luego de pronunciada la oración, Beremiz habló así:

–No se sabe exactamente cuándo la atención del hombre despertó a la idea del "número". Las investigaciones de los filósofos se remontan a tiempos que ya no se perciben, ocultos por la niebla del pasado.

Aquellos que estudian la evolución del número demuestran que incluso entre los hombres primitivos ya estaba la inteligencia humana dotada de una facultad especial que llamaremos "sentido del número". Esa facultad permite reconocer de forma puramente visual si una reunión de objetos fue aumentada o disminuida, o sea, si sufrió modificaciones numéricas.

No hay que confundir el "sentido del número" con la facultad de contar. Únicamente la inteligencia humana puede alcanzar un grado de abstracción capaz de permitir el acto de contar, aunque el sentido del número está presente en muchos animales.

Hay pájaros, por ejemplo, que pueden contar los huevos que dejan en el nido, así distinguen "dos" de "tres". Algunas avispas llegan a distinguir "cinco" y "diez".

Los salvajes de una tribu que vive en el norte de África conocen todos los colores del arco iris y han dado a cada color un nombre. Pues bien, dicha tribu no conocía la palabra "color". De la misma forma, muchos lenguajes primitivos presentan palabras para designar "uno", "dos", "tres", etc. y no encontramos en esos idiomas un vocablo especial para designar de manera general al "número".

¿Entonces cuál es el origen del número?

Se desconoce, señora, no se puede responder a esta pregunta.

Atravesando el desierto, el beduino avista a lo lejos una caravana.

La caravana se mueve lenta. Los camellos avanzan llevando hombres y mercancías.

¿Cuántos camellos hay? Para responder a esta pregunta hay que emplear el "número".

¿Serán cuarenta? ¿Serán cien?

Para lograr el resultado, el beduino necesita poner en funcionamiento cierta actividad. El beduino necesita "contar".

Para hacerlo, el beduino relaciona cada objeto de la serie con cierto símbolo: "uno", "dos", "tres", "cuatro"...

Para llegar al resultado de la "cuenta" o, mejor, del "número", el beduino precisa idear un "sistema de numeración".

El sistema de numeración más antiguo es el *quinario*, que es el sistema en el que las unidades se agrupan de cinco en cinco.

Contando cinco unidades se obtiene una serie llamada *quina*. Ocho unidades serían así 1 *quina* más 3 y se escribiría 13. Conviene aclarar que, en este sistema, la segunda cifra de la izquierda vale cinco veces más que si estuviese a la derecha. El matemático dice entonces que la base de dicho sistema de numeración es 5. De tal sistema se encuentran aún vestigios en los poemas antiguos.

Los caldeos poseían un sistema de numeración cuya base era el número 60.

Y así, en la antigua Babilonia[164] el símbolo:

1.5

indicaría el número 65.

El sistema de base veinte se empleó también en varios pueblos.

En el sistema de base veinte nuestro número 90 vendría indicado por la notación:

164. Babilonia. Capital de la antigua nación de Caldea, hoy destruida.

4.1

que se leería: cuatro veinte más diez.

Luego surgió, señora, el sistema de base 10, que resulta más ventajoso para la representación de grandes números. El origen de dicho sistema se explica por el número total de dedos de las dos manos. En ciertos tipos de mercaderes encontramos decidida preferencia por la base doce; en esto consiste el contar por docenas, medias docenas, cuartos de docena, etc.

La docena presenta sobre la decena ventaja considerable: el número 12 tiene más divisores que el número 10.

Así el sistema decimal ha sido universalmente adoptado. Desde el *tuareg*[165] que cuenta con los dedos hasta el matemático que maneja instrumentos de cálculo, todos contamos de diez en diez. Dadas las diferencias profundas entre los pueblos, tamaña universalidad sorprende: no puede jactarse de algo parecido ninguna religión, código moral, forma de gobierno, sistema económico, principio filosófico, ni el lenguaje, ni siquiera ningún alfabeto. Contar es uno de los pocos asuntos en torno al cual los hombres no divergen pues lo consideran la cosa más sencilla y natural.

Estudiando, señora, a las tribus salvajes y la forma de actuar de los niños, es claro que los dedos son la base de nuestro sistema numérico. Al ser 10 los dedos de ambas manos, comenzamos a contar con dicho número y basamos todo nuestro sistema en grupos de 10.

Es posible que el pastor, cuando al anochecer necesitaba estar seguro de que todas sus animales habían entrado al redil, tuviera que pasar, al contarlas, de la primera docena. Contaba las ovejas que pasaban ante él doblando por cada una un dedo y cuando ya había doblado los diez dedos, agarraba una piedra del suelo. Terminada la tarea, las piedras representaban el número de "manos completas"

165. *Tuareg*. Nómada de raza beréber de los desiertos del norte de África.

-decenas- de ovejas del rebaño. Al otro día lograba rehacer la cuenta contando los montoncitos de piedras. Después sucedió que algún cerebro con facilidad para la abstracción descubrió que se podía aplicar aquel proceso a otras cosas útiles como las frutas, el trigo, los días, las distancias y las estrellas. Y si en vez de apartar piedras, se hacían marcas diferentes y duraderas, entonces se dispondría ya de un sistema de "numeración escrita".

Todos los pueblos incorporaron en su lenguaje oral el sistema decimal. Los demás sistemas fueron desapareciendo. Pero la adaptación de tal sistema a la numeración escrita se hizo muy lentamente.

Hizo falta el paso de varios siglos para que la humanidad descubriera una solución para el problema de la representación gráfica de los números.

Para dicha representación el hombre imaginó caracteres especiales llamados guarismos o cifras, cada una de las cuales representaba uno, dos, tres, cuatro, cinco, seis, siete, ocho, nueve. Otros signos auxiliares como d, c, m, indicaban que la cifra que la acompañaba representaba decena, centenar, millar, etc. Así, un matemático antiguo representaba el número 9.765 por la notación 9m7c6d5. Los fenicios, que fueron los más destacados mercaderes de la antigüedad, usaban acentos en vez de letras: 9" 7` `6 `5.

Al principio los griegos no adoptaron este sistema. A cada letra del alfabeto, aumentada mediante un acento, le atribuían un valor. Así, la primera letra *–alfa–* era 1; la segunda letra *–beta–* era 2; la tercera *–gamma–* era 3 y así sucesivamente hasta el número 19. El 6 constituía una excepción y tenía signo propio. Este número se representaba mediante un signo especial *–estigma–*.

Combinando después las letras dos a dos, representaba el 20, 21, 22, etc.

El número 4004 era representado en el sistema griego por dos cifras; el número 2022, por tres cifras diferentes; el número 3333 era representado por cuatro cifras que diferían por completo una de otras.

Una prueba de imaginación más modesta dieron los romanos que se conformaron con tres caracteres –I, V y X– para formar los diez primeros números y con los caracteres L –cincuenta–, C –cien–, D – quinientos–, M –mil– que combinaban con los primeros.

Los números escritos en cifras romanas eran así de una complicación absurda y se prestaban para confundir las operaciones más elementales de la Aritmética. Con la escritura romana la suma podía hacerse, pero era necesario colocar los números uno debajo de otro, de tal modo que las cifras con el mismo final quedaran en la misma columna.

Este era el estado en que se encontraba la ciencia de los números hace cuatrocientos años cuando un hindú, cuyo nombre no ha llegado hasta nosotros, creó un signo especial, el "cero", para señalar en un número escrito la falta de toda unidad de orden decimal, no efectivamente representada en cifras. Gracias a este invento, todos los signos especiales, las letras y los acentos resultaban inútiles. Así quedaron sólo nueve cifras y el cero. La posibilidad de escribir un número cualquiera por medio de diez caracteres solamente, fue el primer gran milagro del cero.

Los geómetras árabes se adueñaron de la invención del hindú y descubrieron que añadiendo un cero a la derecha de un número se elevaba automáticamente al orden decimal superior a que pertenecían sus diferentes cifras. Hicieron del cero un operador que efectúa instantáneamente toda multiplicación por diez.

Para transitar por los caminos luminosos de la ciencia debemos tener siempre presente el sabio consejo del poeta y astrónomo Omar Khayyam –*¡A quien Allah tenga en su gloria!*–. He aquí lo que Omar Khayyam enseñaba:

> *Que tu sabiduría no sea humillación para tu prójimo. Guarda el dominio de ti mismo y*
> *nunca te abandones a la cólera.*

Si esperas la paz definitiva, sonríe
al destino que te hiere; no hieras a nadie.

De esta manera, con el recuerdo del famoso poeta, termino las pequeñas indicaciones que pretendía desarrollar sobre el origen de los números y de las cifras. En la próxima clase –*¡si Allah quiere!*– estudiaremos cuáles son las principales operaciones que podemos efectuar con los números y las propiedades que éstos presentan.

Beremiz guardó silencio. Había culminado la segunda clase de Matemáticas. Escuchamos entonces la voz cristalina de Telassim que recitaba estos versos:

Dame, Oh Dios, fuerzas para hacer que mi amor
sea fructífero y útil.
Dame fuerzas para no despreciar jamás al pobre
ni plegar mis rodillas ante el poder insolente.
Dame fuerzas para levantar el espíritu bien alto,
por encima de las banalidades cotidianas.
Dame fuerzas para que me humille, con amor ante ti.

No soy más que un trozo de nube desgarrada que vaga inútil
por el cielo, ¡oh sol glorioso!
Si es deseo o placer tuyo, toma mi nada,
píntala de mil colores, irísala de oro,
hazla ondear al viento
y extenderse por el cielo en múltiples maravillas...

Y después, si fuera tu deseo terminar con la noche tal recreo,
yo desapareceré desvaneciéndome en las tinieblas,
o tal vez en la sonrisa del alba,
en el frescor de la pureza transparente.

—¡Admirable! —murmuró a mi lado el gramático Doreid.

—Así es —le dije—. La Geometría es admirable.

—¡Nada he dicho de la Geometría! —protestó mi inoportuno compañero—. No llegué hasta aquí para oír esa historia infinita de números y cifras. Eso no me interesa. Lo admirable es la voz de Telassim.

Lo miré espantado ante su rústica franqueza, entonces añadió con aire malicioso:

—Esperaba ver durante la clase el rostro de la joven. Cuentan que es hermosa como la cuarta luna del mes de Ramadán[166]. ¡Es una verdadera *Flor del Islam*!

Entonces se levantó cantando en voz baja:

> *Si estás ociosa o descuidada, dejando que el cántaro flote sobre el agua, ven, ven a mi lado.*
> *Verdean las hierbas en la cuesta, y las flores silvestres se abren ya.*
>
> *Tus pensamientos volarán de tus ojos negros como los pájaros vuelan de sus nidos.*
> *Y se te caerá el velo a los pies.*
> *Ven, ¡oh, ven hacia mí!*

Con tristeza abandonamos la sala llena de luz. Noté que Beremiz ya no tenía en el dedo el anillo que había ganado en la hostería el día de nuestra llegada. ¿Habría perdido tan hermosa joya?

La esclava circasiana observaba vigilante, como si esperara el sortilegio de algún djin invisible.

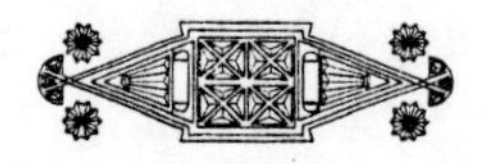

166. Ramadán. Noveno mes del calendario musulmán, en el cual se guarda riguroso ayuno.

Capítulo XXI

Empiezo a guardar textos sobre medicina.
Importantes progresos de la alumna invisible.
Beremiz es convocado para resolver un difícil problema.
El rey Mazim y las prisiones de Korassan.
Sanadik, el contrabandista. Un verso, un problema
y una leyenda. La justicia del rey Mazim.

Los días de nuestra vida en la ciudad de los califas se volvía cada vez más agitada y complicada. El visir Maluf me encargó que copiara dos libros del filósofo Rhazes[167]. Son libros que guardan importantes conocimientos de Medicina. En sus páginas leí indicaciones de gran valor sobre el tratamiento del sarampión, la curación de las enfermedades de la infancia, de los riñones y de otros males que afectan a los hombres. Ocupado con este trabajo, me fue imposible asistir a las clases de Beremiz en casa del jeque Iezid.

Por los comentarios que escuché de mi amigo, la "alumna invisible" había logrado extraordinarios progresos en las últimas semanas. Conocía cuatro operaciones con los números, los tres primeros libros de Euclides y calculaba las fracciones con numerador 1, 2 o 3.

Al atardecer de cierto día, íbamos a comenzar nuestra cena, que consistía sólo en media docena de pasteles de carnero con cebolla, miel, harina y aceitunas, cuando escuchamos en la calle un estruendoso tropel de caballos y, casi al instante, gritos, voces de mando y juramentos de soldados turcos.

167. Rhazes. Médico y filósofo árabe (865-925).

Me levanté asustado. ¿Qué ocurría? Tuve la sensación de que la hostería había sido rodeada por toda la tropa y que iba a haber una mayor violencia de parte del enojado jefe de la policía.

Los sonidos no perturbaron a Beremiz. Estaba ajeno a los sucesos de la calle, y continuó como se encontraba, trazando con un pedazo de carbón figuras geométricas sobre una gran plancha de madera. ¡Qué extraordinario era aquel hombre! Los más serios peligros ni las amenazas de los poderosos, conseguían distraerlo de sus estudios matemáticos. Si *Asrail*, el Ángel de la Muerte, hubiera aparecido de repente trayendo en sus manos la sentencia de lo Irremediable, él hubiese continuado impasible trazando curvas, ángulos, y estudiando las propiedades de las figuras, de las relaciones y de los números.

El viejo Salim, acompañado por dos siervos negros y un camellero, entró en la pequeña habitación en que nos hallábamos. Estaban asustados, como si algo serio hubiera ocurrido.

–*¡Por Allah!*, grité impaciente. ¡No molesten los cálculos de Bererniz! ¿Qué ruido es ese? ¿Acaso hay una revuelta en Bagdad? ¿Se ha hundido la mezquita de Soliman?

–Señor –murmuró el viejo Salim con voz asustada–. La escolta... Una escolta de soldados turcos acaba de llegar.

–*¡Por el santo nombre de Mahoma!* ¿Qué escolta es esa, oh Salim?

–Es la escolta del poderoso gran visir Ibrahim Maluf el Barad –*¡A quien Allah cubra de beneficios!*–. Los soldados tienen orden de llevarse ahora mismo al calculador Beremiz Samir.

–¿Por qué tanto ruido, perros? –grité exaltado–. ¡No tiene importancia alguna! Seguro que el Visir, nuestro gran amigo y protector, quiere solucionar con urgencia un problema de Matemáticas y precisa del auxilio de nuestro sabio amigo.

Mis suposiciones fueron ciertas como los más perfectos cálculos de Beremiz.

Tiempo después, conducidos por los oficiales de la escolta, llegamos al palacio del visir Maluf.

Capítulo XXI

Hallamos al poderoso ministro en el salón de las audiencias, acompañado por tres auxiliares de su confianza. Tenía en su mano una hoja repleta de números y cálculos.

¿Qué nuevo inconveniente sería aquél que había perturbado tan profundamente el espíritu del digno auxiliar del Califa?

–El caso es muy grave, ¡oh Calculador! –dijo el visir dirigiéndose a Beremiz–. Estoy preocupado por uno de los más complicados problemas que haya tenido en mi vida. Quiero informarte minuciosamente de los antecedentes del caso, pues sólo con tu auxilio podremos tal vez descubrir la solución.

El visir narró lo siguiente:

–Anteayer, unas pocas horas después de salir nuestro Califa hacia Basora para una estadía de tres semanas, hubo un desastroso incendio en la prisión. Los presos, encerrados en sus celdas, sufrieron durante mucho tiempo un tremendo suplicio, torturados por indecibles angustias. Nuestro soberano decidió entonces que fuera reducida a la mitad la pena de todos los condenados. Al principio no dimos importancia alguna al caso, porque parecía fácil ordenar que se cumpliera con todo rigor la sentencia del rey. Pero, al día siguiente, cuando la caravana del Príncipe de los Creyentes se hallaba lejos ya, comprobamos que la sentencia de última hora envolvía un problema extremadamente delicado, sin cuya solución no podría ser ejecutada perfectamente.

Entre los presos –prosiguió el ministro– beneficiados por la ley se halla un contrabandista de Basora, llamado Sanadik, detenido desde hace cuatro años y condenado a cadena perpetua. La pena de este hombre debe ser reducida a la mitad. Pero como fue condenado a toda la vida de prisión, ahora, en virtud de la ley, tendrá que serle perdonada la mitad de la pena, es decir la mitad del tiempo que le queda por vivir. Pero no sabemos cuánto vivirá. ¿Cómo dividir por dos un período que ignoramos? ¿Cómo calcular la mitad –x– de su tiempo de vida?

Luego de pensar unos minutos, Beremiz respondió de manera prudente:

–El problema parece extremadamente delicado porque guarda una cuestión de pura Matemática y de interpretación de la ley al mismo tiempo. Es un caso que importa tanto a la justicia como a la verdad de los números. No puedo discutirlo con los poderosos recursos del Álgebra y del Análisis, hasta visitar en la celda al condenado Sanadik. Es posible que la x de la vida de Sanadik esté calculada por el Destino en la pared de la celda del propio condenado.

–Me resulta extraordinariamente extraño lo que dices –dijo el visir–. No entiendo la relación que puede haber entre las maldiciones con que locos y condenados cubren los muros de las prisiones y la resolución algebraica de tan delicado problema.

–¡Señor! –dijo Beremiz–. Se encuentran muchas veces en los muros de las prisiones, frases, fórmulas, versos e inscripciones que nos aclaran el espíritu y nos orientan hacia sentimientos de bondad y clemencia. Cierta vez, el rey Mazim, señor de la rica provincia de Korassan[168], fue informado de que un presidiario había escrito palabras mágicas en los muros de su celda. El rey Mazim llamó a un escriba y le ordenó que copiara todas las letras, figuras, versos o números que encontrara en las sombrías paredes de la prisión. El escriba ocupó varias semanas para cumplir íntegramente la extraña orden del rey. Al fin, después de pacientes esfuerzos, le llevó al soberano decenas de hojas llenas de símbolos, palabras ininteligibles, figuras disparatadas, blasfemias de locos y números inexpresivos. ¿Cómo traducir o descifrar aquellas páginas repletas de cosas incomprensibles? Uno de los sabios del país, consultado por el monarca, dijo: "¡Oh rey! Esas hojas contienen maldiciones, plagas, herejías, palabras cabalísticas, leyendas y hasta un problema de Matemática con cálculos y figuras".

168. Korassan. Provincia del Irán.

Capítulo XXI

El rey dijo: "Las maldiciones, plagas y herejías, no me interesan. Las palabras cabalísticas me son indiferentes. No creo en el poder oculto de las letras ni en la fuerza misteriosa de los símbolos humanos. Pero sí me interesa conocer el verso, lo que dice la leyenda, porque son productos nobles en los que el hombre puede encontrar consuelo en su aflicción, enseñanzas para el que no sabe o advertencias para el poderoso".

Frente al pedido del monarca, dijo el *ulema*:

–La desesperación del condenado es poco propicia a la inspiración.

Contestó el monarca:

–Todavía así quiero conocer lo escrito.

–Entonces aquí están los versos escritos por uno de los condenados. El *ulema* sacó al azar una de las copias del escriba y leyó:

La felicidad es difícil porque somos muy
difíciles en materia de felicidad.

No hables de felicidad a alguien menos
feliz que tú.

Cuando no se tiene lo que uno ama, hay
que amar lo que se tiene.

El rey guardó silencio unos instantes, como entregado en profundos pensamientos y el ulema, para distraer la atención real, continuó diciendo:

–Este es el problema escrito con carbón en la celda de un condenado:

COLOCAR DIEZ SOLDADOS EN CINCO FILAS
DE MODO QUE CADA FILA TENGA CUATRO SOLDADOS.

El problema, de apariencia complicada, tiene una solución muy sencilla indicada en la figura en la que aparecen cinco filas de cuatro soldados cada una.

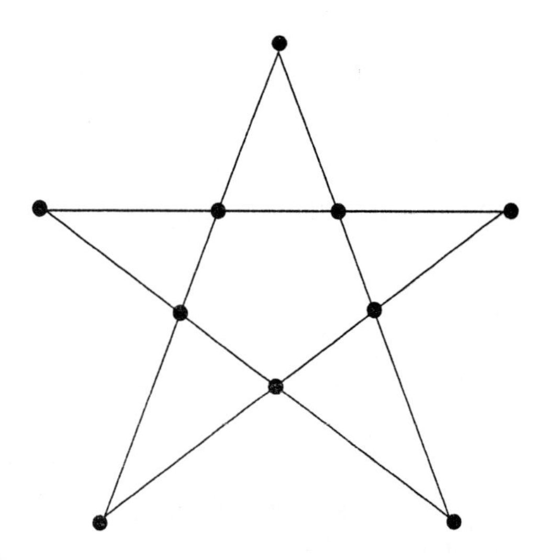

Luego el *ulema*, atendiendo la petición del rey, leyó la siguiente inscripción:

–Se dice que el joven Tzu-Chang se dirigió un día al gran Confucio[169] y le preguntó:

–¿Cuántas veces, ¡oh ilustre filósofo!, debe un juez reflexionar antes de dar sentencia?

Respondió Confucio:

–Una vez hoy, diez veces mañana.

Se asombró el príncipe Tzung-Chang al oír las palabras del sabio. El dicho era oscuro y enigmático.

Una vez es suficiente –explicó el maestro– cuando el juez, tras el análisis de la causa, se decida por el perdón. Diez veces, sin embargo,

169. Confucio. Filósofo chino (551- 479 a. de J.C.).

deberá pensar el magistrado siempre que esté inclinado a dar sentencia condenatoria.

Luego concluyó con su sabiduría maravillosa:

Se equivoca gravemente aquel que vacila al perdonar; se equivoca mucho más todavía a los ojos de Dios aquel que condena sin vacilar.

El rey Mazim se sorprendió al enterarse de que había en las paredes de las celdas de la cárcel joyas semejantes escritas por los míseros prisioneros, tantas cosas llenas de belleza y de curiosidad. Naturalmente, entre los que veían pasar sus días amargados en el fondo de las celdas, había también gente inteligente y cultivada. Entonces el rey decidió que fuesen revisados todos los procesos y descubrió que muchas de las sentencias encubrían casos desbordantes de injusticia clamorosa. Y así, en consecuencia, y visto lo que el escriba había descubierto, los prisioneros inocentes fueron puestos inmediatamente en libertad y se repararon muchos errores judiciales.

–Todo esta historia puede ser muy interesante –repuso el visir Maluf–, pero es muy posible que en las prisiones de Bagdad no hallen figuras geométricas, ni leyendas morales, ni versos. Sin embargo, quiero conocer el resultado al que quieres llegar. Autorizaré tu visita a la prisión.

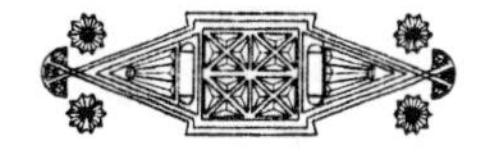

Capítulo XXII

De lo sucedido durante nuestra visita a la prisión de Bagdad. Cómo Beremiz solucionó el problema de la mitad de los años de vida de Sanadik. El instante de tiempo. La libertad condicional. Los fundamentos de una sentencia.

La prisión de Bagdad, imponente, parecía una fortaleza persa o china. Para ingresar a ella se atravesaba un patio no muy grande en cuyo centro estaba el famoso "Pozo de la esperanza". Era en ese lugar donde el condenado, luego de escuchar su sentencia, abandonaba todas sus esperanzas de salvación.

Es inimaginable la vida de sufrimientos y miseria de los condenados que se hallaban en el fondo de las mazmorras de la ciudad árabe.

La celda que guardaba a Sanadik estaba ubicada en la parte más profunda de la prisión. Llegarnos a un espantoso subterráneo guiados por el carcelero y acompañados por dos guardias. Un esclavo nubio[170], gigantesco, llevaba la antorcha dueña de la luz que nos permitía ver todos los rincones de la prisión.

Luego de caminar por el estrecho corredor, que apenas permitía el paso de un hombre, bajamos por una escalera húmeda y oscura. En el fondo de ese subterráneo se encontraba el pequeño calabozo donde estaba encarcelado Sanadik. Ni el más fino rayo de luz podía llegar hasta aquellas tinieblas. El aire pesado y fétido apenas se podía res-

170. Nubio. Natural de Nubia, región de África entre Egipto y Abisinia.

pirar sin sentir náuseas. El suelo estaba cubierto de una capa de barro pútrido y entre las cuatro paredes no había ningún camastro donde el condenado pudiera tenderse.

Bajo la luz de la antorcha vimos al desventurado Sanadik, semidesnudo, con la barba espesa y enmarañada y los cabellos crecidos cayéndole por los hombros, sentado sobre una losa con las manos y los pies atrapados por grillos de hierro.

Beremiz observó interesado y en silencio. Era sorprendente que Sanadik hubiera resistido con vida durante cuatro años en aquella situación inhumana.

Las paredes de la celda, en poder de la humedad, estaban llenas de inscripciones y figuras, extraños indicios de muchas generaciones de condenados. Beremiz examinó, leyó y tradujo con mucho cuidado, se detuvo de vez en cuando para hacer cálculos que parecían largos y laboriosos. ¿Cómo podría el calculador, entre maldiciones y blasfemias, establecer los años que le quedaban por vivir a Sanadik?

Sentí una sensación de alivio al dejar la prisión sombría donde eran torturados los míseros detenidos. De regreso al rico salón de las audiencias, apareció el visir Maluf rodeado de cortesanos, secretarios y varios jeques y *ulemas* de la corte. Todos aguardaban la llegada de Beremiz, todos querían conocer la fórmula que el calculador emplearía para resolver el problema de la mitad de la prisión perpetua.

–Te esperábamos, ¡oh Calculador! –dijo el visir–, te ruego nos presentes sin demora la solución del problema. Queremos cumplir con la mayor urgencia las órdenes de nuestro gran Emir.

Al escuchar la orden, Beremiz se inclinó con respeto, hizo el saludo habitual, y habló:

–El contrabandista Sanadik, de Basora, preso hace cuatro años en la frontera, fue condenado a prisión perpetua. La pena acaba de ser reducida a la mitad por justa y sabia sentencia de nuestro glorioso Califa, Comendador de los Creyentes y sombra de Allah en la Tierra.

Capítulo XXII

Designemos con x el período de la vida de Sanadik, período que va desde el momento en que quedó preso y condenado hasta el término de sus días. Sanadik fue por tanto condenado a x años de prisión, o sea, a prisión perpetua. Ahora, debido a la regia sentencia, dicha pena se reducirá a la mitad. Si dividimos el tiempo x en varios períodos; importa decir que a cada período de prisión debe corresponder igual período de libertad.

–¡Exacto! –exclamó el visir–.Entiendo muy bien tu razonamiento.

–Entonces, como Sanadík estuvo preso durante cuatro años, resulta claro que deberá quedar en libertad durante igual período, es decir durante cuatro años.

Imaginemos que un mago pudiera establecer el número exacto de años de la vida de Sanadik, y dijera: "Este hombre tenía sólo por delante 8 años de vida cuando fue detenido". Así, en ese caso, tendríamos que x es igual a 8, es decir Sanadik habría sido condenado a 8 años de prisión y esta pena quedaría ahora reducida a 4. Pero como Sanadik ya está preso desde hace cuatro años, el hecho es que ya ha cumplido toda la pena y debe ser considerado libre. Si el contrabandista, por determinaciones del Destino, tuviera que vivir más de 8 años, su vida –x mayor que 8– podrá ser descompuesta en tres períodos: uno de 4 años de prisión –ya transcurrido–, otro de 4 años de libertad y un tercero que deberá ser dividido en dos partes, prisión y libertad. Es fácil concluir que para cualquier valor de x –desconocido–, el detenido deberá ser puesto de inmediato en libertad, quedando libre durante 4 años, porque tiene absoluto derecho a ese período de libertad, conforme demostré, de acuerdo con la ley.

Terminado el plazo o, mejor todavía, finalizado ese período deberá volver a la prisión y quedar recluido durante un tiempo igual a la mitad del resto de su vida.

Entonces sería fácil quizás encerrarlo un año y devolverle la libertad al año siguiente. Así quedaría, gracias a esa resolución, un año preso y otro libre, y de ese modo pasaría la mitad de su vida en libertad conforme al mandato del rey.

Pero esta solución sólo sería cierta si el condenado muriera el último día de uno de sus períodos de libertad.

Imaginemos que Sanadik, luego de vivir un año en la cárcel, fuera puesto en libertad y muriera en el cuarto mes de libertad. De esta parte de su vida –un año y cuatro meses– habría pasado "un año preso" y "cuatro meses libre". Visto así, no sería correcto, habría un error de cálculo. Su pena no habría sido reducida a la mitad.

Sería mucho más simple encarcelar a Sanadik durante un mes y concederle la libertad al mes siguiente. Pero esta solución podrá, dentro de un período menor, conducir a un error análogo. Y esto ocurriría en contra de los intereses del condenado sí él, después de pasar un mes en la prisión, no tuviera luego un mes completo de libertad.

Puede parecer que la solución del caso se encontraría al fin en detener a Sanadik un día y soltarlo al otro, concediéndole así igual período de libertad y proceder así hasta el fin de la vida del condenado.

Esta solución tampoco corresponderá a la verdad matemática, porque Sanadik –como será fácil de comprender– podrá ser perjudicado en muchas horas de libertad. Basta para eso que muera horas después de un día de prisión.

Detener al condenado durante una hora y soltarlo luego, y así sucesivamente hasta la última hora de la vida del condenado, sería una solución acertada si Sanadik muriera en el último minuto de una hora de libertad. De lo contrario su pena no habría sido reducida a la mitad que es lo que dispone el indulto.

La solución matemáticamente cierta, consiste en lo siguiente:

Detener a Sanadik durante un instante de tiempo y soltarlo al instante siguiente. Es preciso, sin embargo, que el tiempo de prisión –el instante– sea infinitamente pequeño, esto es indivisible. Lo mismo ha de hacerse con el período de libertad que siga.

Así esta solución es imposible. ¿Cómo detener a un hombre durante un instante indivisible y soltarlo en el instante siguiente? Entonces habrá que abandonar esta idea y considerarla como imposible. Sólo veo, ¡oh visir!, una manera de resolver el problema: que Sanadik sea puesto en libertad condicional bajo vigilancia de la ley. Esa es la única manera de tener detenido y libre a un hombre al mismo tiempo.

El visir ordenó que fuera atendida la sugerencia del calculador y el condenado Sanadik recibió aquel mismo día la "libertad condicional", fórmula que los jurisconsultos árabes adoptaron con gran frecuencia en sus sabias sentencias.

Al otro día le pregunté a Beremiz qué datos o elementos de cálculo había logrado recoger en las paredes de la prisión durante la visita y cuáles eran los motivos que lo habían llevado a dar tan original solución al problema del condenado. Me respondió:

–Sólo quien ya estuvo, aunque sólo fuera por un momento, entre los muros tenebrosos de una cárcel, puede resolver esos problemas en que los números son partes terribles de la desgracia humana.

Capítulo XXIII

De lo sucedido cuando recibimos una distinguida visita. Palabras del príncipe Cluzir Schá. Una invitación. Beremiz soluciona un nuevo problema. Las perlas del rajá. Un número cabalístico. Se determina nuestro viaje a la India.

Nuestro humilde barrio de residencia tuvo hoy su primer día glorioso en la Historia.

Beremiz recibió, temprano en la mañana y de manera inesperada la visita del príncipe Cluzir Schá.

Cuando la llamativa comitiva apareció por la calle, los curiosos ocuparon azoteas y miradores. Mujeres, viejos y niños admiraban, mudos y sorprendidos, el maravilloso espectáculo.

Al frente avanzaban cerca de treinta jinetes montados en soberbios corceles árabes, adornados con arreos de oro y gualdrapas de terciopelo bordado en plata. Llevaban turbantes blancos con yelmos metálicos reluciendo al sol, mantos y túnicas de seda y largas cimitarras pendientes de cinturones de cuero labrado. Les precedían los estandartes con el escudo del Príncipe: un elefante blanco sobre fondo azul. Luego seguían varios arqueros y batidores, todos a caballo.

El maharajá, acompañado por dos secretarios, tres médicos y diez pajes, cerraba el cortejo. El Príncipe estaba vestido con una túnica escarlata, adornada con hilos de perlas. En el turbante, de una riqueza inaudita, centelleaban zafiros y rubíes.

Cuando el viejo Salim vio llegar a su hostería aquella imponente comitiva, pareció volverse loco. Se tiró al suelo y empezó a gritar:

–*¿Men ein?*[171]

Mandé que un aguador que ahí se encontraba llevara al alucinado al fondo del patio hasta que volviera la calma a su espíritu.

La sala de la hostería era pequeña para recibir a tantos ilustres visitantes. Beremiz, maravillado ante la honrosa visita, bajó al patio para recibirlos.

El príncipe Cluzir saludó al calculador con un amistoso *salam* y dijo:

–El peor sabio es aquel que frecuenta a los ricos; el mayor de los ricos es aquel que frecuenta a los sabios.

–Sé muy bien, señor –respondió Beremiz–, que tus palabras se inspiran en el más arraigado sentimiento de bondad. La pequeña e insignificante parte de ciencia que conseguí adquirir, desaparece ante la infinita generosidad de vuestro corazón.

–Mi presencia aquí, ¡oh calculador! –dijo el Príncipe–, viene dictada más por el egoísmo que por el amor a la ciencia. Desde que tuve el honor de escucharte en casa del poeta Iezid, pensé en ofrecerte algún cargo de prestigio en mi corte. Deseo nombrarte mi secretario o bien director del Observatorio de Delhi. ¿Aceptas? En pocas semanas partiremos hacia La Meca y desde allí regresaremos directamente a la India.

–Lamentablemente, ¡oh Príncipe generoso! –respondió Beremiz–, no puedo salir ahora de Bagdad. Me ata a esta ciudad un compromiso. Sólo podría ausentarme de aquí cuando la hija del ilustre Iezid haya aprendido las bondades de la Geometría.

Sonrió el *maharajá* y replicó:

–Si ése es el motivo de tu negativa, creo que pronto llegaremos a un acuerdo. El jeque Iezid me dijo que la joven Telassim, dados los progresos realizados, estará dentro de pocos meses en condicio-

171. *¿Men ein?* ¿Hacia dónde me queréis llevar?

nes de enseñar a los *ulemas* el famoso problema de "las perlas del rajá".

Tuve la sensación de que las palabras de nuestro visitante sorprendían a Beremiz. El calculador parecía confundido.

–Me gustaría –prosiguió el Príncipe– conocer este complicado problema que desafía el talento de los algebristas y que sin duda se remonta a uno de mis gloriosos antepasados.

Beremiz tomó la palabra y habló sobre el problema que interesaba al Príncipe. Dijo lo siguiente:

–Tiene que ver menos con un problema que con una mera curiosidad aritmética. Su enunciado es el siguiente:

"Un rajá dejó a sus hijas cierto número de perlas y determinó que la división se hiciera del siguiente modo: la hija mayor se quedaría con una perla y un séptimo de lo que quedara. La segunda hija recibiría dos perlas y un séptimo de lo restante, la tercera joven recibiría tres perlas y un séptimo de lo que quedara. Y así sucesivamente".

Las hijas más chicas presentaron un reclamo ante el juez alegando que por ese complicado sistema de división resultaban fatalmente perjudicadas.

El juez, que según cuenta la tradición, era hábil en la resolución de problemas, respondió que las reclamantes estaban equivocadas y que la división propuesta por el viejo rajá era justa y perfecta.

Y estaba en lo cierto. Hecha la división, cada una de las hermanas recibió el mismo número de perlas.

Las preguntas obligadas:

¿Cuántas perlas había? ¿Cuántas eran las hijas del rajá?

La solución de ese problema no ofrece la menor dificultad. Observemos:

⊙⊙⊙⊙⊙	⊙⊙⊙⊙	⊙⊙⊙	⊙⊙⊙⊙	⊙⊙⊙⊙⊙	
⊙⊙⊙⊙⊙	⊙⊙⊙⊙	⊙⊙⊙	⊙⊙	⊙	⊙
⊙⊙⊙⊙⊙	⊙⊙⊙⊙	⊙⊙⊙	⊙⊙	⊙	⊙
○○○○○	○○○○	○○○	○○	○	⊙
○○○○○	○○○○	○○○	○○	○	⊙
○○○○○	○○○○	○○○	○○	○	⊙
○○○○○	○○○○	○○○	○○	○	⊙
○○○○○	○○○○	○○○	○○	○	⊙

Resolución del Problema de las Perlas del Rajá. Los círculos con el punto central de cada grupo representan el número de perlas que cada una de las hijas del rajá recibe. Los círculos en blanco indican las perlas que cada una de ellas deja, para que sucesivamente las otras hijas puedan ir tomando la parte que les corresponde, según las órdenes impartidas por el rajá.

Las perlas eran 36 y tenían que ser divididas entre 6 personas.

• La primera recibió una perla y un séptimo de 35; cinco. Es decir recibió realmente 6 perlas y quedaban 30.

• La segunda, de las 30 que encontró recibió 2 y un séptimo de 28, que es 4. Luego recibió 6 y dejó 24.

• La tercera, de las 24 que encontró recibió 3 y un séptimo de 21; es decir 3. Se quedó pues con 6 y dejó un resto de 18.

• La cuarta, de las 18 que encontró, se quedó 4 más un séptimo de 14. Y un séptimo de 14 es 2. Recibió también 6 perlas.

• La quinta encontró 12 perlas. De ellas recibió 5 y un séptimo de 7, es decir 1. Luego recibió 6.

• La hija menor recibió 6 perlas que quedaban:

Beremiz concluyó:

–Como se ve, el ingenioso problema nada tiene de difícil. Se llega a la solución sin artificios ni sutilezas de raciocinio.

En ese momento la atención del príncipe Cluzir Schá fue atrapada por un número que se hallaba escrito cinco veces en las paredes del cuarto:

Capítulo XXIII

142.857

–¿Qué es lo que significa ese número? –preguntó.

–Este número –respondió el calculador–, es uno de los más curiosos números de las Matemáticas. Presenta, en relación con sus múltiplos, coincidencias verdaderamente interesantes:

Multipliquémoslo por 2. El producto será:

$$142.857 \times 2 = 285.714$$

Vemos que las cifras que constituyen el producto son los mismos del número dado, pero en distinto orden. El 14 que se hallaba a la izquierda se ha trasladado a la derecha.

Multipliquemos el número 142.857 por 3:

$$142.857 \times 3 = 428.571$$

Otra vez observamos la misma singularidad: las cifras del producto son precisamente las mismas del número pero con el orden alterado. El 1, que se halla a la izquierda pasó a la derecha; las otras cifras quedan donde estaban.

Lo mismo ocurre cuando el número se multiplica por 4:

$$142.857 \times 4 = 571.428$$

Veamos ahora lo que ocurre en caso de que la multiplicación sea 5:

$$142.875 \times 5 = 714.285$$

La cifra 7 pasó de la derecha a la izquierda. Las restantes permanecieron en su sitio.

Veamos la multiplicación por 6:

142.857 x 6 = 857.142

Realizada la multiplicación resulta que el grupo 142 cambió de lugar con relación al 857.

En efecto, el grupo 142 que antes se hallaba a la derecha del grupo 875, ha pasado a la izquierda de éste y viceversa.

Una vez llegados al factor 7 nos impresiona otra particularidad. El número 142.857 multiplicado por 7 da como producto:

999.999

número formado con seis nueves.

Multipliquemos ahora el número 142.857 por 8. El producto será:

142.857 x 8 = 1.142.856

Todas las cifras del número aparecen aún en el producto con excepción del 7. El 7 del número primitivo fue descompuesto en dos partes: 6 y l. La cifra quedó a la derecha y el 1 fue a la izquierda completando el producto.

Veamos ahora qué acontece cuando multiplicamos el número 142.857 por 9:

142.857 x 9 = 1.285.713

Observemos con atención el resultado. La única cifra del multiplicando que no figura en el producto es 4. ¿Qué ha pasado con ella? Aparece descompuesta en dos partes: 3 y 1, colocadas en los extremos del producto.

De la misma manera podríamos comprobar las singularidades que presenta el número 142.857 cuando se multiplica por 11, 12, 13, 14, 15, 17, 18 etc.

Por eso el número 142.857 se incluye entre los números cabalísticos de la Matemática. Me lo enseñó el derviche Nó-Elin.

–¿Nó-Elin? –repitió asombrado y jubiloso el príncipe Cluzir Schá–. ¿Es posible que hayas conocido a ese sabio?

–Lo conocí muy bien, ¡oh Príncipe! –respondió Beremiz–. Con él aprendí todos los principios que hoy aplico a mis investigaciones matemáticas.

–Pues el grande Nó-Elin –explicó el hindú– era amigo de mi padre. Una vez, luego de haber perdido a un hijo en una guerra injusta y cruel, se apartó de la vida ciudadana y nunca más volvió a verlo. Hice muchas investigaciones para encontrarlo, pero no logré obtener la menor indicación sobre su paradero. Pensé que quizás había muerto en el desierto, devorado por las panteras. ¿Puedes acaso decirme dónde se halla Nó-Elin?

Beremiz respondió:

–Cuando inicié el viaje hacia Bagdad, lo dejé en Khoi, en Persia, junto con tres amigos.

–Entonces, cuando regrese de La Meca iremos a la ciudad de Khoi a buscar a ese gran *ulema*, -respondió el Príncipe-. Quisiera llevarlo a mi palacio. ¿Podrás, ¡oh calculador!, ayudarnos en esa grandiosa empresa?

–Señor –respondió Beremiz–. Si es para auxiliar y hacer justicia a quien fue mi guía y maestro, estoy dispuesto a viajar, si es preciso, hasta la India.

De esta manera, a causa del número 142.857, quedó resuelto nuestro viaje a la India, a la tierra de los rajás.

Y el número es realmente cabalístico.

Capítulo XXIV

El rencor de Tara-Tik. El epitafio de Diofanto. El problema de Hierón. Beremiz se libera de un oscuro enemigo. Una carta del capitán Hassan. Los cubos de 8 y 27. La pasión por el cálculo. La muerte de Arquímedes.

La presencia de Tara-Tir era amenazadora y originó en mi espíritu una incómoda impresión. El jeque, lleno de rencor, que había estado fuera de Bagdad durante algún tiempo, había sido visto al anochecer, rodeado de sicarios, merodeando en nuestra calle.

Con seguridad preparaba alguna trampa contra el descuidado Beremiz.

Sumergido en sus estudios, el calculador no percibía el peligro que lo seguía como una oscura sombra.

Hice referencia a la presencia siniestra de Tara-Tir y le pedí que recordara las advertencias del jeque Iezid.

–Todas estas precauciones son exageradas –respondió Beremiz sin pensar detenidamente en mi aviso–. No puedo creer en esas amenazas. En este momento sólo me interesa la solución completa del problema que constituye el epitafio del célebre geómetra griego Diofanto:

"He aquí el túmulo de Diofanto –maravilla para quien lo contempla–; con artificio aritmético la piedra enseña su edad".

"Dios le concedió pasar la sexta parte de su vida en la juventud; un duodécimo en la adolescencia; un séptimo en un estéril matrimonio. Pasaron cinco años más y nació un hijo. Pero apenas este hijo había alcanzado la mitad de la edad del padre, cuando murió. Durante cuatro años más, mitigando su dolor con el estudio de la ciencia de los números, vivió Diofanto, antes de llegar al fin de su existencia."

Es probable que Diofanto, ocupado en la resolución de los problemas de la Aritmética, no haya pensado en obtener la solución del problema del rey Hierón[172], que no aparece en su obra.

–¿Cuál es ese problema? –pregunté.

Beremiz contó lo siguiente:

–Hierón, rey de Siracusa[173], envió a sus orfebres cierta cantidad de oro para que hicieran una corona que quería ofrecer a Júpiter[174] Cuando el rey recibió la obra terminada, comprobó que la corona tenía el peso del oro entregado, pero el color del oro le sugirió cierta desconfianza pensando que pudieran haber mezclado plata con el oro. Para aclarar estas dudas consultó a Arquímedes, el geómetra.

Arquímedes, habiendo comprobado que el oro pierde en el agua 52 milésimas de su peso y la plata 99 milésimas, estableció el peso de la corona sumergida en el agua y halló que la pérdida de peso era en parte debida a cierta porción de plata adicionada al oro.

Se dice que a Arquímedes le llevó bastante tiempo poder resolver el problema presentado por Hierón. Un día, estando en el baño, descubrió la manera de solucionarlo, y entusiasmado, salió corriendo por el palacio del monarca, gritando:

¡Eureka! ¡Eureka!

Que significa: ¡Lo he encontrado! ¡Lo he encontrado!

Mientras conversábamos llegó a visitarnos el capitán Hassan Maurique, jefe de la guardia del Sultán. Era hombre corpulento, muy diligente y servicial. Había escuchado hablar del caso de los treinta y cin-

172. Hierón. Rey de Siracusa (265-215 a. de J.C.).

173. Siracusa. Ciudad de la isla de Sicilia.

174. Júpiter. Entre los romanos, padre de los dioses. Dios del cielo, la luz, el tiempo y el rayo.

co camellos y desde entonces no paraba de alabar el talento del Hombre que Calculaba. Nos visitaba todos los viernes, después de pasar por la mezquita.

–Jamás imaginé –dijo después de expresar su profunda admiración– que la Matemática fuera un prodigio. La solución del problema de los camellos me dejó maravillado.

Al reparar en el entusiasmo del turco, lo conduje hasta el mirador de la sala que daba a la calle, mientras Beremiz buscaba la solución al problema de Diofanto, y le hablé del peligro que corríamos bajo la amenaza de Tara-Tir.

–Está ahí –señalé– junto a la fuente. Va acompañado de peligrosos asesinos. A la primera ocasión, esos asesinos nos apuñalarán.

Tara-Tir está resentido con Beremiz por una cuestión pasada, pero es un hombre muy violento y rencoroso, y creo que ahora intenta vengarse. Nos ha estado espiando.

–*¡Por el honor de Amina!*[175] ¿Qué es lo que dices?, exclamó Hassan. No puedo creer que ocurra una cosa semejante. ¿Cómo puede un bandido molestar la vida de un sabio geómetra? *¡Por la gloria del Profeta!* Voy a resolver este caso de inmediato.

Regresé al cuarto y me acosté. Estuve un rato fumando en forma tranquila.

El capitán Hassan, por más que Tara-Tir fuera un violento, también era decidido y estaba a nuestro favor.

Una hora después recibí el siguiente aviso de Hassan:

"Todo arreglado. Los tres asesinos han sido ejecutados hoy sumariamente. Tara-Tir recibió 8 bastonazos y debió pagar una multa de 27 cequíes de oro, y fue advertido de que tiene que abandonar la ciudad de inmediato. Lo envié a Damasco, bajo guardia."

Enseñé la carta del capitán turco a Beremiz. Gracias a mi intervención podríamos ahora vivir tranquilos en Bagdad.

175. Amina. Madre de Mohama.

–Qué interesante –dijo Beremiz–. ¡Es realmente curioso! Las líneas de la carta me llevan a recordar una curiosidad numérica relativa a los números 8 y 27.

Mostré cierta sorpresa al oír su observación, entonces él concluyó:

–Excluida la unidad, 8 y 27 son los únicos números cubos e iguales también a la suma de las cifras de sus respectivos cubos. Así:

$$8^3 = 512$$
$$27^3 = 19.683$$

La suma de las cifras 19.683 es 27.

La suma de las cifras de 512 es 8.

–¡Eres increíble, amigo mío! –exclamé–. Muy preocupado por los cubos y los cuadrados, te olvidaste de que estabas amenazado por el puñal de un peligroso asesino.

–La matemática, ¡oh bagdalí! –respondió el calculador–, se adueña de tal modo de nuestra atención que a veces nos ensimismamos y olvidamos los peligros que nos rodean.

¿Recuerdas cómo murió Arquímedes, el gran geómetra?

Sin esperar mi respuesta, narró el siguiente episodio histórico:

–Cuando la ciudad de Siracusa fue tomada por asalto por las fuerzas de Marcelo[176], general romano, estaba el geómetra absorto en el estudio de un problema para cuya solución había trazado una figura geométrica en la arena. Así estaba el geómetra enteramente olvidado de las luchas, de las guerras y de la muerte. Sólo le interesaba la investigación de la verdad. Un legionario romano lo encontró y le ordenó que se presentara ante Marcelo. El sabio pidió que esperara un momento hasta que terminara la demostración que estaba realizando. El soldado insistió y lo tomó del brazo: "Cuidado. ¡Mira dónde pisas!",

176. Marcelo, Marco Claudio. General romano. Murió en el año 208 a. de J.C. en una batalla contra Aníbal.

dijo el geómetra. "¡No borres la figura!" Irritado al ver que no le obedecía inmediatamente, el romano, de una puñalada dejó sin vida al mayor sabio de aquel tiempo.

Marcelo, que había ordenado que se respetara la vida de Arquímedes, no ocultó el pesar que le causaba la muerte del genial adversario. Sobre la lápida de la tumba que mandó erigirle, hizo grabar una circunferencia inscrita en un triángulo, figura que recordaba uno de los teoremas del célebre geómetra.

Beremiz concluyó, acercándose a mí y poniendo su mano en mi hombro:

—¿No crees, ¡oh bagdalí!, que sería justicia incluir al sabio de Siracusa entre los mártires de la Geometría?

¿Qué podía responderle yo?

La trágica muerte de Arquímedes me recordó la figura indeseable de Tara-Tir.

¿Estaríamos realmente a salvo de este sanguinario personaje? ¿Podría volver de su destierro en Damasco?

Frente a la ventana, con sus brazos sobre el pecho, Beremiz, con cierta tristeza, miraba despreocupadamente a los hombres que caminaban apresurados en dirección al mercado.

Me pareció necesario interferir en sus meditaciones, arrancarlo así de su nostalgia, entonces pregunté:

—¿Estás triste? ¿Añoras tu país o es que estás planeando nuevos cálculos?

Insistí en tono divertido:

—¿Cálculos o añoranza?

—Amigo bagdalí: la añoranza y el cálculo se dan la mano. Así lo dijo uno de nuestros más inspirados poetas:

La añoranza es calculada mediante cifras también.
Distancia multiplicada por el factor Amor.

Pero no creo que la nostalgia, una vez reducida a números y fórmulas, sea calculable en cifras. *¡Por Allah!* Cuando todavía era un niño escuché muchas veces a mi madre, encerrada en el harem de nuestra casa, cantando:

Nostalgia, vieja canción.
Nostalgia, sombra de alguien.
Que sólo se llevará el tiempo
Cuando a mí también me lleve.

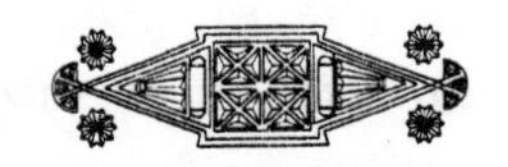

Capítulo XXV

Beremiz es llamado a palacio.
Una extraña sorpresa. Un torneo difícil, uno contra siete.
La restitución del anillo. Beremiz recibe como obsequio
una alfombra de color azul.
Versos que conmueven a un corazón apasionado.

Durante la primera noche luego del *Ramadán*, a poco de llegar al palacio del Califa, fuimos informados por un escriba, compañero de trabajo, que el soberano tenía preparada una sorpresa a nuestro amigo Beremiz.

Nos aguardaba un grave acontecimiento. El calculador debería competir, en audiencia pública, con siete matemáticos, tres de ellos habían llegado unos días antes de El Cairo[177].

¿Qué hacer? *¡Allah Akbar!*[178] Ante aquella amenaza intenté animar a Beremiz recordándole que debía tener confianza absoluta en su capacidad tantas veces comprobada.

El calculador me recordó un proverbio de su maestro Nó-Elin:

Quien no desconfía de sí mismo
no merece la confianza de los otros.

Acompañados por una pesada sombra de aprensiones y tristeza ingresamos en el palacio.

177. El Cairo. Capital de Egipto.
178. *¡Allah Akbar!* ¡Dios es grande!

El enorme salón, profusamente iluminado, estaba repleto de cortesanos y jeques de renombre.

A la derecha del Califa se hallaba el joven príncipe Cluzir Schá, invitado de honor, acompañado de ocho doctores hindúes que ostentaban vistosos ropajes de oro y terciopelo y exhibían curiosos turbantes de Cachemira[179]. A la izquierda del trono se sentaban los visires, los poetas, los *cadíes* y los componentes de mayor prestigio de la alta sociedad de Bagdad. Sobre un estrado, donde se veían varios cojines de seda, se encontraban los siete sabios que iban a interrogar al calculador. A un gesto del Califa, el jeque Nurendim Barur tomó a Beremiz del brazo y lo llevó con toda solemnidad hasta una especie de tribuna alzada en el centro del salón.

La expectación era visible en todos los rostros de los allí presentes, y sus deseos eran dispares porque no todos querían que el éxito acompañara al calculador.

Un esclavo negro golpeó por tres veces consecutivas un pesado gong de plata. Todos los turbantes se inclinaron. Iba a comenzar la ceremonia. Por mi imaginación, lo confieso, volaban alucinados mis pensamientos.

Un imán leyó del *Libro Santo*, con cadencia invariable, pronunciando muy lento cada una de las palabras, las preces del Corán:

En nombre de Allah, Clemente y Misericordioso,
Alabado sea el Omnipotente, Creador de todos los mundos.
La misericordia es en Dios el atributo supremo.
Nosotros te adoramos, Señor,
e imploramos tu divina asistencia.
Llévanos por el camino cierto.
Por el camino de aquellos esclarecidos y benditos por Ti.

179. Cachemira. Provincia al norte de la India.

Cuando desapareció la última palabra entre los ecos del palacio, el rey avanzó dos pasos, se detuvo y dijo:

–¡*Uallah!* Nuestro amigo y aliado, el príncipe Cluzir-ehdin-Mubarec-Schá, señor de Lahore y Delhi, me pidió que permitiera a los doctores de su comitiva la posibilidad de admirar la cultura y la habilidad del geómetra persa, secretario del visir Ibrahim Maluf. No puedo dejar de atender la solicitud de nuestro ilustre huésped. Y así, siete de los más sabios y famosos *ulemas* del Islam van a plantear al calculador Beremiz una serie de preguntas relativas a la ciencia de los números. Si Beremiz responde, recibirá, así lo prometo, recompensa tal, que hará de él uno de los hombres más envidiados de Bagdad.

En este momento que el poeta Iezid se acercó al Califa.

–¡Comendador de los Creyentes! –dijo el jeque–. Tengo en mis manos un objeto que pertenece al calculador Beremiz. Es un anillo que fue encontrado en nuestra casa por una de las esclavas del harem. Quiero devolverlo al calculador antes de que se inicie esta importantísima prueba a que va a ser sometido. Es posible que se trate de un talismán y no deseo privar al calculador del auxilio de los recursos sobrenaturales.

Tras una breve pausa, el noble Iezid agregó:

–Mi hija Telassim, verdadero tesoro entre los tesoros de mi vida, me pidió que le permitiera ofrecer al geómetra persa, su maestro en la Ciencia de los Números, esta alfombra por ella bordada. Esta alfombra, si lo permite el Emir de los Creyentes, será colocada bajo el cojín destinado al calculador que va a ser sometido hoy a prueba por los siete sabios más famosos del Islam.

El Califa permitió que el anillo y la alfombra fueran entregados al calculador.

El propio jeque Iezid, siempre amable y lleno de cordialidad, entre-

180. *Mabid.* Servidor.

gó la caja. Después, a una señal del jeque, un *mabid*[180] adolescente apareció transportando en las manos una pequeña alfombra azul claro que fue colocada bajo el cojín verde de Beremiz.

–Todo esto es *baraka*, un hechizo, dijo en voz baja un viejo risueño, flaco, vestido con una túnica azul, que se encontraba detrás de mí. El joven calculador persa es un buen conocedor de la *baraka*. Conoce de sortilegios. Esa alfombra azul me parece un tanto misteriosa.

¿Cómo podía creer la mayoría de los presentes que la gran disposición de Beremiz para el cálculo no fuera fruto de la inteligencia?

El inculto, cuando algo va más allá de su comprensión, busca siempre una razón en lo desconocido y lo atribuye a poderes mágicos y a sortilegios. Sin embargo, el nivel cultural de los jefes que organizaron y presidían la reunión era suficientemente elevado para comprender que lo que allí se dilucidaba era un juego de la inteligencia.

Beremiz iba a ser probado por los hombres más capaces, y en una materia en que los árabes siempre hemos destacado.

¿Podrá superarla el calculador Beremiz?

Beremiz se vio profundamente emocionado al recibir la joya y la alfombra. Más allá de la distancia, pude notar que algo muy grave estaba ocurriendo en aquel momento. En el momento de abrir la pequeña caja, sus ojos se humedecieron. Supe después que junto con el anillo, la piadosa Telassim había colocado un papel en el que Beremiz leyó emocionado:

"Ánimo. Confía en Dios. Rezo por ti."

¿Y la alfombra azul claro?

¿Habría allí realmente algo de baraka, como insinuaba el viejecito alegre de la túnica azul?

Nada de sortilegios.

La alfombra, que a los ojos de los jeques y los ulemas era sólo un presente, llevaba escrito en caracteres cúbicos –que sólo Beremiz sabría interpretar y leer–unos versos que emocionaron el corazón de nuestro amigo. Aquellos versos, que luego pude traducir, habían sido bordados por Telassim como si fueran arabescos en los bordes de la pequeña alfombra:

> *Te amo, querido. Perdona mi amor.*
> *Fui consolada como un pájaro que se extravió en el camino.*
> *Cuando mi corazón fue tocado, perdió el velo y quedó a la intemperie. Cúbrelo con piedad, querido, y perdona mi amor.*
> *Si no me puedes amar, querido, perdona mi dolor.*
> *Y volveré a mi canto, y quedaré sentada en la oscuridad.*
> *Y cubriré con las manos la desnudez de mi recato.*

¿Estaba el jeque Iezid al tanto de aquel doble mensaje de amor?

No era el momento de preocuparse por ese detalle. Después, como he dicho, me confió Beremiz el secreto.

¡Sólo Allah sabe la verdad!

El silencio invadió el suntuoso recinto.

Estaba a punto de iniciarse, en el palacio del Califa, el torneo cultural más importante de los que hasta ahora han tenido lugar bajo los cielos del Islam.

¡Iallah!

Capítulo XXVI

Del encuentro con un famoso teólogo.
La cuestión de la vida futura.
Todo musulmán tiene que conocer el Libro Sagrado.
¿Cuántas palabras hay en el Corán? ¿Cuántas letras?
El nombre de Jesús es citado 19 veces.
El engaño de Beremiz.

El sabio nombrado para comenzar con las preguntas se levantó con lentitud. Era un hombre viejo, de unos ochenta años, que me inspiraba respeto. Las largas barbas blancas caían abundantes sobre su amplio pecho.

–¿Quién es este anciano? –pregunté en voz baja a un *haquim óio-ien*[181] de cara flaca que se encontraba junto a mí.

–Es el célebre *ulema* Mohadeb Ibhage-Abner-Rama, me respondió. Cuentan que conoce más de quince mil sentencias sobre el Corán. Enseña Teología y Retórica.

Las palabras que el sabio Mohadeb pronunciaba eran dichas sílaba a sílaba, en un tono extraño, como si el orador quisiera medir el sonido de su propia voz.

–Voy a preguntar, ¡oh calculador!, sobre un tema de gran importancia para un musulmán. Antes de estudiar la ciencia de Euclides o de Pitágoras, el buen islamita debe conocer con profundidad el problema religioso, porque la vida no se concibe si se proyecta divorciada de la Verdad y de la Fe. Quien no se preocupa por el problema de su existencia futura, por la salvación de su alma, y desconoce los pre-

181. *Haquim-oio-ien*. Oculista.

ceptos de Dios, los mandamientos, no merece la calificación de sabio. Quiero entonces que nos presentes, ahora, sin la menor vacilación, quince indicaciones numéricas y citas notables sobre el Corán, el *Libro de Allah*[182].

Entre esas quince indicaciones deberán figurar:

1° El número de suras[183] del Corán.
2° El número exacto de versículos.
3° El número de palabras.
4° El número de letras del Libro Increado[184].
5° El número exacto de los profetas citados en la mmpágina del Libro Eterno[185].

El sabio teólogo insistió, su voz sonó con gran fuerza:

—Quiero que además de las cinco indicaciones, nos des otras diez relaciones numéricas ciertas y notables sobre el *Libro Increado. ¡Uassalam!*

Se hizo un profundo silencio. Todos esperaban con ansiedad la palabra de Beremiz. Con mucha tranquilidad, el joven calculador respondió:

—El Corán ¡oh sabio y venerable *mufti!*[186], consta de 114 suras, de las cuales 70 fueron dictadas en La Meca y 44 en Medina. Se divide en 611 *ashrs*[187]y contiene 6.236 versículos, de los cuales 7 son del primer capítulo *Fatihat* y 8 del último, *Los Hombres.* La sura mayor es la segunda, que encierra 280 versículos. El Corán contiene 46.439 palabras y 323.670 letras, cada una de las cuales contiene diez virtu-

182. Libro de Allah. El Corán.
183. *Suras.* Capítulos en que se divide el Corán.
184. Libro Increado. El Corán.
185. Libro Eterno. Ibídem.
186. *Mufti.* Jurisconsulto musulmán.
187. *Ashrs.* Apartado.

des especiales. Nuestro *Libro Santo* cita el nombre de 25 profetas. *Issa*[188], hijo de María, es citado 19 veces. Hay cinco animales cuyos nombres fueron tomados como epígrafes de cinco capítulos: la vaca, la abeja, la hormiga, la araña y el elefante. La *sura* 102 se titula "La contestación de los números". Es notable ese capítulo del *Libro Increado* por la advertencia que dirige en sus cinco versículos a quienes se preocupan de disputas estériles sobre números que no tienen importancia alguna para el progreso espiritual de los hombres.

Beremiz, llegado a este punto, hizo una breve pausa y agregó:

–Estas son, contestando a vuestra petición, las indicaciones numéricas sobre el *Libro de Allah.* En la respuesta que termino de formular hay un pequeño error que me apresuro a marcar. En vez de quince relaciones, nombré dieciséis.

–*¡Por Allah!*, –dijo en voz baja el viejo de la túnica azul que estaba tras de mí–. ¿Cómo un hombre puede recordar de memoria tantos números y tantas cosas? ¡Es fantástico! ¡Sabe hasta las letras que tiene el Corán!

–Es un gran estudioso –replicó el vecino–. Estudia mucho y recuerda absolutamente todo. Ya escuché algunos rumores al respecto.

–Recordar no sirve para nada –murmuró el viejecito de la cara chupada–. No sirve de nada. Por ejemplo, yo no me ocupo en recordar ni siquiera la edad de la hija de mi tío.

Mucho me molestaban todos aquellos secretos, todas aquellas palabras a media voz.

Mohadeb confirmó todas las indicaciones que había dado Beremiz. Hasta el número de letras del *Libro de Allah* había sido enunciado sin error de una unidad.

Me contaron que este teólogo Mohadeb era un hombre que vivía en la pobreza. Y debía ser verdad. Son muchos los sabios a los que

188. *Issa*. Nombre que recibe Jesús de los musulmanes.

Allah los priva de riquezas, porque es raro que aparezcan juntas la sabiduría y la riqueza.

Beremiz había superado la primera prueba planteada en el debate, pero todavía faltaban otras seis.

–*¡Allah quiera!* –pensé– *¡Allah quiera que todo pueda seguir así y terminar bien!*

Capítulo XXVII

De qué manera un sabio historiador pregunta a Beremiz.
El geómetra que no podía mirar al cielo.
La Matemática en Grecia.
Elogio de Eratóstenes.

Terminado el primer encuentro, el segundo sabio comenzó el interrogatorio de Beremiz. En este caso el ulema era un historiador famoso que había enseñado durante veinte años en Córdoba[189] y que luego por cuestiones políticas, se trasladó a El Cairo, donde vivió bajo la protección del Califa. Era un hombre bajo, de rostro bronceado y barba. Tenía los ojos sin brillo.

El sabio historiador dirigió estas preguntas a Beremiz:

–*¡En nombre de Allah, Clemente y Misericordioso!* ¡Se engañan aquellos que aprecian el valor de un matemático por la mayor o menor habilidad con que realiza las operaciones o aplica las reglas banales del cálculo! A mi manera de ver, el verdadero geómetra es el que conoce con absoluta seguridad el desarrollo y el progreso de la Matemática a través de los siglos. Estudiar la Historia de las Matemáticas es homenajear a los ingenios maravillosos que enaltecieron y dignificaron a las antiguas civilizaciones, que por esfuerzo e ingenio lograron desvelar algunos de los misterios más profundos de la inmensa Naturaleza, consiguiendo, a través de la ciencia, elevar y mejorar la miserable condición humana. Además alcanzamos, por medio de las

189. Córdoba. Ciudad de España en la región de Andalucía. Antigua capital de los Omeyas.

páginas de la Historia, honrar a los gloriosos antepasados que trabajaron en la formación de la Matemática y conservamos el nombre de las obras que dejaron. Quiero, entonces, preguntar al calculador sobre un hecho de la Historia de la Matemática: "¿Quién fue el célebre geómetra que se suicidó al no poder mirar al cielo?"

Beremiz meditó unos instantes y dijo:

–Fue Eratóstenes[190] matemático de Cirenaica[191], al principio fue educado en Alejandría[192] y luego en la Escuela de Atenas[193] donde aprendió las doctrinas de Platón.

Completó la respuesta de esta manera:

–Eratóstenes fue elegido para dirigir la gran Biblioteca de la Universidad de Alejandría, cargo que ejerció hasta su muerte. Además de tener envidiables conocimientos científicos y literarios que lo distinguieron entre los mayores sabios de su tiempo, Eratóstenes era poeta, orador, filósofo y un completo atleta. Alcanza con decir que obtuvo el título de vencedor del *pentahtlon*[194], las cinco pruebas máximas de los Juegos olímpicos[195]. Grecia se encontraba entonces en el período áureo de su desarrollo científico y literario. Era la patria de los *aedos*[196], poetas que declamaban con acompañamiento musical en los banquetes y en las reuniones de los reyes y de los grandes jerarcas.

Es necesario aclarar que entre los griegos de mayor cultura y valor, el sabio Eratóstenes era considerado un hombre extraordinario que tiraba la jabalina, escribía poemas, vencía a los grandes corredores y

190. Erastótenes. Matemático, astrónomo y filósofo griego (¿284-192? a. de C.).
191. Cirenaica. Antigua colonia griega en el N.O. de África.
192. Alejandría. Ciudad y puerto de Egipto. Fundada por Alejandro Magno en el 331 a. de J.C.
193. Atenas. Capital de Grecia.
194. Pentathlón. Prueba deportiva que comprende 200 y 1.500 metros lisos, salto de altura y lanzamiento de disco y jabalina.
195. Juegos Olímpicos. Juegos que cada cuatro años se celebraban en Grecia, en la ciudad de Olimpia. Se restauraron en 1896.
196. *Aedo*. Poeta épico de la antigua Grecia.

resolvía problemas astronómicos. Eratóstenes legó a la posteridad varias obras.

Al rey Ptolomeo III[197] de Egipto le presentó una tabla de números primos hechos sobre una plancha metálica en la que los números múltiplos estaban marcados con un pequeño agujero. Se dio por eso el nombre de *Criba de Eratóstenes* al proceso de que se servía el sabio astrónomo para formar su tabla.

Como consecuencia de una enfermedad en los ojos, que contrajo a orillas del Nilo[198] durante un viaje, Eratóstenes quedó ciego. Él, un apasionado de la Astronomía, se encontró impedido de mirar el cielo y la belleza incomparable del firmamento en las noches estrelladas.

La luz azulada de *Al-Schira* nunca podría vencer la nube negra que cubría sus ojos. Abrumado por esta desgracia, el sabio y atleta se suicidó dejándose morir de hambre, encerrado en su biblioteca.

El sabio historiador se dirigió hacia el Califa y dijo tras breve silencio:

–Estoy satisfecho con la brillante exposición histórica realizada por el sabio calculador persa. El único geómetra célebre que se suicidó fue el griego Eratóstenes, poeta, astrónomo y atleta, amigo fraternal de Arquímedes de Siracusa. *¡Iallah!*

–¡Por la belleza de *Selsebit*![199], , exclamó el Califa entusiasmado. ¡Cuánto es lo que acabo de aprender! ¡Cuán grande es nuestra ignorancia! Ese griego notable que estudiaba los astros, que componía poemas y cultivaba el atletismo merece nuestra sincera admiración. Desde hoy, siempre, al mirar al cielo en la noche estrellada hacia la incomparable *Al-Schira*, recordaré el fin trágico del sabio geómetra

197. Ptolomeo III. Rey de Egipto (264 -221 a. de J.C.).

198. Nilo. Río de África de 6.500 Km. de longitud. Nace en el Lago Victoria y desemboca en el Mediterráneo junto a la ciudad de El Cairo.

199. *Selsebit*. Fuente del Paraíso. Citada en El Corán.

que escribió el poema de su muerte entre un tesoro de libros que ya no podía leer.

Posó, con mucha cortesía, su mano en el hombro del príncipe, luego agregó naturalidad:

—¡Veamos si el tercer *ulema* consigue vencer a nuestro calculador!

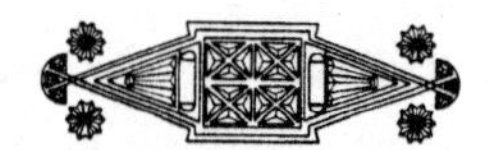

Capítulo XXVIII

Continúa el torneo.
El tercer sabio interroga a Beremiz.
La falsa inducción. Beremiz comprueba que
un principio falso puede estar indicado por ejemplos verdaderos.

El tercer sabio que interrogaría a Beremiz era el famoso astrónomo Azul Hassan Alí[200] de Alcalá, llegado a Bagdad por especial invitación de Al-Motacén. Era un hombre alto, de huesos grandes, y con su rostro muy arrugado. Su cabello era rubio y ondulado. llevaba en la muñeca derecha un ancho brazalete de oro.

Se decía que en dicho brazalete llevaba señaladas las doce constelaciones del Zodíaco[201].

El astrónomo Abul Hassan, luego de saludar al rey y a los nobles, habló a Beremiz. Su profunda voz parecía respirar lentamente.

—Las respuestas recientes demuestran ¡oh Beremiz Samir! que posees una sólida cultura. Cuentas de la ciencia griega con la misma facilidad con que cuentas las letras del *Libro Sagrado*. Pero, en el desarrollo de la ciencia matemática, la parte más interesante es la que indica la forma de raciocinio que lleva a la verdad. Una secesión de hechos está tan lejos de ser una ciencia como un montón de piedras de ser una casa. Pero afirmo igualmente que las sabias combinaciones de hechos inexactos o de hechos que no fueron comprobados al

200. Abul Hassan Alí. Literato y astrólogo, natural de Alcalá la Real (Jaén) (1200 - 1280).
201. Zodíaco. Nombre que recibe el conjunto de 12 constelaciones que atraviesa el Sol durante un año.

menos en sus consecuencias, se encuentran tan lejos de formar una ciencia como se encuentra el espejismo de sustituir en el desierto a la presencia real del oasis. La ciencia tiene que observar los hechos y deducir a partir de ellos, las leyes. Con ayuda de esas leyes se pueden prever otros hechos o hasta mejorar las condiciones materiales de la vida. Sí, todo eso es cierto. Pero, ¿cómo deducir la verdad? Se presenta pues la siguiente duda:

¿Es posible lograr en Matemática una regla falsa de una propiedad verdadera? Quiero escuchar tu respuesta, ¡oh calculador!, acompañada con un ejemplo sencillo e indiscutible.

Beremiz reflexionó durante un momento, luego salió de su silencio y dijo:

–Pensemos en que un algebrista curioso deseara determinar la raíz cuadrada de un número de cuatro cifras. Sabemos que la raíz cuadrada de un número es otro número que, multiplicado por sí mismo, entrega un producto igual al número dado. Es un axioma en matemáticas.

Vamos todavía a suponer que el algebrista, tomando libremente tres números a su gusto, destacase los siguientes números:

2.025, 3.025 y 9.081.

Iniciemos la resolución del problema por el número 2.025. Hechos los cálculos para dicho número, el investigador encontraría que la raíz cuadrada es igual a 45. En efecto: 45 veces 45 es igual a 2.025. Pero se puede comprobar que 45 se obtiene de la suma de 20 + 25, que son partes del número 2.025 descompuesto mediante un punto, de esta manera: 20. 25.

De igual manera podría comprobar el matemático con relación al número 3.025, cuya raíz cuadrada es 55 y conviene notar que 55 es la suma de 30 + 25, partes ambas del número 3.025.

La misma propiedad se destaca con relación al número 9.801, cuya raíz cuadrada es 99, es 98 + 01.

Frente a estos tres casos, el inadvertido algebrista podría sentirse inclinado a enunciar la siguiente regla:

"Para calcular la raíz cuadrada de un número de cuatro cifras, se divide el número por medio de un punto en dos partes de dos cifras cada una y se suman las partes así formadas. La suma obtenida será la raíz cuadrada del número dado".

La regla, a las claras errónea, fue deducida de tres ejemplos verdaderos. Es posible en Matemática llegar a la verdad por simple observación, no obstante hay que poner cuidado especial en evitar la "falsa inducción".

El astrónomo Abul Hassan, también satisfecho con la respuesta de Beremiz, expresó que nunca había escuchado una explicación tan sencilla e interesante del problema de la "falsa inducción matemática".

A una señal del Califa, se puso de pie el cuarto *ulema* y se dispuso a formular su pregunta.

Su nombre era Jalal Ibn-Wafrid. Era poeta, filósofo y astrólogo. En Toledo[202], su ciudad natal, era muy popular como narrador de historias.

Nunca podré olvidar su imponente figura. Nunca desaparecerá de mi memoria el recuerdo de su mirada, llena de serenidad. Se adelantó hacia uno de los extremos del estrado y, mirando al Califa, dijo:

—Para que mi pregunta sea bien comprendida, deberé contar una vieja leyenda persa.

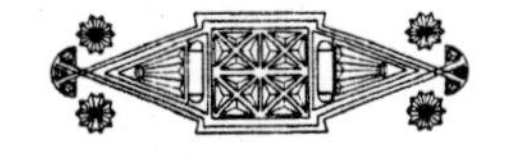

202. Toledo. Ciudad de España.

Capítulo XXIX

Escuchamos una antigua leyenda persa.
Lo material y lo espiritual. Los problemas
humanos y los trascendentales. La multiplicación más famosa.
El sultán censura la intolerancia de los jeques islamitas.

–"Un rey que gobernaba sobre Persia y las grandes llanuras del Irán escuchó a un *derviche* decir que el verdadero sabio debía conocer, con forma absoluta, la parte espiritual y la parte material de la vida. El rey se llamaba Astor, y su sobrenombre era "El Sereno".

¿Qué hizo Astor? Procedió de la siguiente manera.

Llamó a los tres mayores sabios de Persia y entregó a cada uno de ellos dos dinares de plata diciéndoles:

–Hay en este palacio tres salas vacías y completamente iguales. Cada uno de ustedes estará encargado de llenar una de ellas, pero para esta tarea no podrá gastar suma mayor que la que acaba de recibir.

El problema era difícil. Cada sabio debía llenar una sala vacía utilizando la cifra insignificante de dos dinares.

Los sabios enfrentaron el desafío que les había confiado el caprichoso rey Astor.

Luego de unas horas, regresaron a la sala del trono. El monarca, interesado en la solución del problema, preguntó.

El primero habló así:

–Señor, gasté los dos dinares y la sala quedó completamente llena. Mi solución fue práctica. Compré muchos sacos de heno y con ellos llené el aposento desde el suelo hasta el techo.

–¡Bravo, muy bien! –exclamó el rey Astor, el Sereno–. Tu solución fue imaginativa. Conoces, en mi opinión, la parte material de la vida y desde ese punto de vista te enfrentarás con los problemas que la vida presente.

Después, el segundo sabio, luego de saludar al monarca, dijo:

–En el cumplimiento de mi tarea gasté sólo medio dinar. Compré una vela y la encendí en la sala vacía. Ahora, ¡oh rey!, podrás observarla; está llena, enteramente llena de luz.

–¡Maravilloso! –exclamó el monarca–. ¡Descubriste una solución brillante para el caso! La luz simboliza la parte espiritual de la vida. Tu espíritu se encuentra, deduzco, dispuesto a enfrentarse con todos los problemas de la existencia desde el punto de vista espiritual.

Llegó el turno del tercer sabio, y dijo:

–Al principio pensé, ¡oh Rey de los Cuatro Rincones del Mundo!, en dejar la sala exactamente cómo se hallaba. Era fácil ver que la sala no estaba vacía. Evidentemente, estaba llena de aire y de oscuridad. Pero no quise colocarme en la cómoda postura de indolencia y picardía. Resolví entonces actuar también como mis compañeros. En consecuencia, tomé un puñado de heno de la primera sala y lo quemé con la vela de la segunda. Con el humo que se desprendía llené la tercera sala. Como es fácil suponer, esto no me costó nada y conservo intacta la cantidad que se me dio. La sala está pues llena: llena de humo.

–¡Admirable! –exclamó el rey Astor–. Eres el mayor sabio de Persia y tal vez del mundo. Sabes hacer confluir con justicia lo material y lo espiritual para alcanzar la perfección."

El sabio de Toledo terminó con su narración. Luego, dirigiéndose hacia Beremiz, habló de manera muy amable.

–Quiero, ¡oh calculador!, comprobar si, al igual que el tercer sabio de esta historia, eres capaz de unir lo material a lo espiritual, y si puedes dar solución no sólo a problemas humanos sino también a cuestiones trascendentales. Mi pregunta es la siguiente: ¿Cuál es la multiplicación famosa de la que hablan las historias, multiplicación que todos los hombres cultos conocen y en la que sólo figura un factor?

La pregunta sorprendió a los ilustres musulmanes. Algunos no disimularon sus manifestaciones de desagrado o impaciencia. Un *cadí* a mi lado, se quejó irritado:

–Es una insensatez, un disparate.

Beremiz se quedó pensativo. Sólo después dijo:

–La única multiplicación famosa con un solo factor, nombrada por todos los historiadores y que conocen todos los hombres cultos, es la multiplicación de los panes hecha por Jesús, hijo de María. En esa multiplicación figuraba un solo factor: el poder milagroso de la voluntad de Dios.

–Respuesta excelente, declaró el toledano. ¡Muy Cierto! La respuesta más perfecta y completa que he escuchado hasta hoy. Este calculador resolvió de manera irrefutable el problema que le planteé. *¡Iallah!*

Muchos musulmanes, llevados por la intolerancia, se miraron ofendidos. Hubo murmuraciones. El Califa exigió:

–¡Silencio! Veneremos a Jesús, hijo de María, cuyo nombre es citado diecinueve veces en el *Libro de Allah.*

Entonces se dirigió al quinto *ulema* y agregó con voz amable:

–Esperamos tu pregunta, ¡oh jeque Nascif Rahal! Serás el quinto en preguntar en este maravilloso torneo de ciencia y fantasía.

Escuchada la orden del rey, el quinto sabio se puso de pie. Era un hombre bajo, gordo, de blanca cabellera. No llevaba turbante, sino un pequeño gorro verde. Era muy conocido en Bagdad porque enseñaba en la mezquita y aclaraba a los estudiosos los puntos oscuros de los *hadiths*[203] del Profeta. Yo lo había visto unas dos veces cuando salía del *haman*[204]. Parecía nervioso, de maneras arrebatadas y hasta algo agresivo.

–El valor de un sabio –comenzó a decir– sólo debe ser medido por el poder de su imaginación. Los números tomados al azar, los hechos

203. *Hadiths.* Frases que encierran enseñanzas de Mahoma.

204. *Hamán.* Casa de baños.

históricos recordados con precisión y oportunidad pueden tener un interés momentáneo, pero al cabo de algún tiempo caen en el olvido. ¿Quién de ustedes recuerda todavía el número de letras del Corán? Hay números, nombres, palabras y obras que están, por su propia naturaleza y finalidad, condenados al irremediable olvido. El saber que no sirve al sabio, es vano. Voy entonces a asegurarme de la capacidad y del valer del calculador aquí presente haciéndole una pregunta que no se relaciona con ningún problema que pueda exigir memoria ni habilidad de cálculo. Deseo que el matemático Beremiz Samir nos narre una leyenda o una simple fábula en la que aparezca una división de 3 por 3 indicada, pero no efectuada, y otra de 3 por 2 indicada, y efectuada sin dejar resto.

—¡Muy buena idea! —susurró el anciano de la túnica azul—. Buena idea la de este *ulema* de cabellera tan blanca. Así nos dejaremos de cálculos que nadie entiende y oigamos una leyenda.¡Al fin vamos a escuchar una leyenda!

—Pero la leyenda tendrá números y cuentas —se quejó en voz baja el *haquím* llevándose la mano a la boca—. Ya verá, amigo mío: todo termina en cálculos, números y problemas. ¡Mala suerte la nuestra!

—Dios quiera que eso no suceda —agregó el anciano. Quiéralo Dios. *¡Al-uahhad!*[205]

Quedé desconcertado ante la imprevista exigencia del quinto ulema. ¿Cómo se las arreglaría Beremiz para inventar en aquel angustioso momento una leyenda en la que apareciera una división planteada pero no efectuada y, todavía más, una división de 3 por 2 sin resto?

¡Es lógico que quien divide tres entre dos tendrá un resto de 1!

Traté de calmarme y confié en la imaginación de mi amigo. En su imaginación y en la bondad de *Allah*.

El calculador, luego de buscar afanosamente en su memoria, comenzó a relatar el siguiente caso:

205. *¡Al-uahhad!* ¡Oh, Liberal! Uno de los nombres que los árabes dan a Dios.

Capítulo XXX

El Hombre que Calculaba cuenta una leyenda.
El tigre propone la división de "tres entre tres".
El chacal indica la división de "tres entre dos".
Cómo calcular el cociente en la Matemática del más fuerte.
El Jeque del gorro verde elogia a Beremiz.

–"¡En nombre de *Allah*, Clemente y Misericordioso!"

El león, el tigre y el chacal dejaron una vez la cueva oscura en que vivían y partieron, como amigos, a vagabundear por la tierra en busca de alguna región generosa en rebaños de tiernas ovejas.

En plena selva, el león, el guía del grupo se sentó cansado sobre sus patas traseras y levantando la cabeza liberó un rugido tan fuerte que temblaron los árboles más cercanos.

El tigre y el chacal se miraron con miedo. El gran rugido con que el león turbaba el silencio del bosque quería decir, traducido a un lenguaje comprensible por los otros animales, "Tengo hambre".

–¡Tu impaciencia está justificada! –dijo el chacal dirigiéndose con humildad al león. Pero te aseguro que en esta selva hay un atajo misterioso que ninguna fiera conoce, y por él podremos llegar con facilidad a un pequeño poblado donde hay caza abundante al alcance de las garras y sin correr el menor peligro.

–¡Sigamos, chacal! –ordenó el león– ¡Quiero llegar a ese hermoso rincón del mundo!

Guiados por el chacal, ya de noche, los viajeros llegaron a lo alto de un monte bajo, pero desde cuya cima se divisaba una amplia planicie verde.

En el centro de esa llanura se encontraban, solos, ajenos a cualquier peligro, tres pacíficos animales: una oveja, un cerdo y un conejo.

Luego de comprobar que llegar hasta las presas era fácil y seguro, el león sacudió su melena con un movimiento de satisfacción, y con los ojos brillantes por la gula se volvió hacia el tigre y dijo en tono de aparente amistad:

–¡Oh tigre admirable! Observo tres bellos y suculentos bocados: una oveja, un cerdo y un conejo. Tú que eres listo y experto tendrás que dividirlos entre tres. Entonces realiza la operación con justicia y equidad: divide fraternalmente las tres presas entre los tres cazadores.

El tigre vanidoso, luego de expresar con aullidos de falsa modestia su incompetencia y su humildad contestó:

–La división que terminas de proponer, ¡oh rey!, es sencilla y se hace con relativa facilidad. La oveja, que es el bocado mayor y el más sabroso, alcanza para saciar el hambre de una banda entera de leones del desierto. Entonces, te corresponde, ¡oh rey! Es tuya, totalmente tuya. El cerdito flaco, sucio y triste que no vale ni una pata de oveja bien cebada será para mí, que con poco me conformo. Por último, el pequeño y despreciable conejo de carnes pobres, indigno del paladar de un rey, le corresponderá a nuestro compañero el chacal, en recompensa por la valiosa indicación que nos proporcionó hace poco.

–¡Estúpido! ¡Egoísta! –rugió el león enfurecido– ¿Quién te enseñó a hacer divisiones? ¡Eres un idiota! ¿Dónde se ha visto una división de tres entre tres resuelta de ese modo?

Entonces descargó su zarpa sobre la cabeza del distraído tigre que cayó muerto a pocos pasos de distancia.

Después, mirando al chacal que había presenciado horrorizado la trágica división de tres entre tres, habló así:

–¡Estimado chacal! Siempre he tenido un elevado concepto de tu inteligencia. Sé que eres el más ingenioso y hábil de los animales de la selva y no se me ocurre otro que pueda resolver con inteligencia los más difíciles problemas. Te pido entonces que hagas esta división tan sencilla y trivial que el estúpido tigre, como acabas de ver, no supo resolver de manera satisfactoria. Estás viendo, amigo, esos tres apetitosos animales: la oveja, el cerdo y el conejo. Nosotros somos dos, y por tanto los bocados a repartir son tres. Entonces, vas a dividir tres entre dos. Vamos, ¡realiza los cálculos, porque quiero saber cuál es mi parte!

—¡Soy tu humilde y rudo siervo! —gimió el chacal en un tono de humildad y respeto—. Entonces tengo que obedecer la orden que acabo de recibir. Como si fuera un sabio geómetra, voy a dividir por dos aquellos tres animales. ¡Se trata de una sencilla división de tres entre dos!

La división matemáticamente justa y cierta es la siguiente: la admirable oveja corresponde a tus reales caninos, porque es indiscutible que eres el rey de los animales. El cerdito, cuyos armoniosos gruñidos se escuchan desde aquí, corresponde también a tu real paladar porque dicen los entendidos que la carne de cerdo da más fuerza y energía a los leones. Y el conejo, con sus largas orejas, debe ser también para ti que lo saborearás como postre ya que a los reyes corresponde siempre, como complemento de los grandes banquetes, los manjares más finos y delicados.

—¡Oh incomparable chacal! —exclamó el león encantado con la división que acababa de escuchar—. ¡Qué sabias son siempre tus palabras! ¿Quién te enseñó el artificio maravilloso de dividir con perfección y acierto tres entre dos?

—Lo que tu justicia le hizo al tigre hace un momento me enseñó a dividir con habilidad tres entre dos, y más aún cuando uno de esos dos es un león y el otro un chacal. *En la Matemática del más fuerte, digo yo, el cociente es siempre exacto y al más débil, después de la división, sólo le debe quedar el resto.*

Desde ese momento, y siempre sugiriendo divisiones de aquel tipo, el chacal juzgó que podría vivir tranquilo su vida de parásito, premiándose con las sobras que dejaba el sanguinario león.

Pero estaba equivocado. Pasadas dos o tres semanas, el león hambriento desconfió del servilismo del chacal y acabó matándolo como al tigre.

La moraleja es que siempre la verdad debe ser dicha, una y mil veces:

"¡EL CASTIGO DE DIOS ESTÁ MÁS CERCA DEL PECADOR
DE LO QUE ESTÁN LOS PÁRPADOS DE LOS OJOS!"

Así, ¡oh juicioso *ulema*! –concluyó Beremiz– he narrado con la mayor sencillez una fábula en la que hay dos divisiones. La primera fue una división de tres entre tres, planteada pero no efectuada. La segunda fue una división de tres entre dos, efectuada sin resto.

Escuchadas estas palabras del calculista se hizo un profundo silencio. Todos esperaban con interés la sentencia del severo ulema.

El jeque Hacif Rahal, luego de ajustarse su gorro verde y pasar su mano por la barba, pronunció con cierta amargura su sentencia:

–La fábula narrada se ajusta perfectamente a las exigencias por mí formuladas. Debo confesar que no la conocía y que, a mi manera de ver, es de las más felices. El famoso Esopo[206], el griego, no lo haría mejor. Ese es mi parecer. *Allah es sin embargo más sabio y más justo.*

La narración de Beremiz agradó a todos los visires y nobles musulmanes. El príncipe Cluzir Schá, huésped del rey, declaró en voz alta dirigiéndose a todos los presentes:

–La fábula que escuchamos encierra una lección moral. Los viles aduladores que se arrastran en las cortes sobre la alfombra de los poderosos pueden, al principio, lograr algún provecho de su servilismo, pero al final son siempre castigados, porque el castigo de Dios

206. Esopo. Famoso fabulista griego. (siglo VII-VI a. de J.C.)

está siempre muy cerca del pecador. La contaré a mis amigos y colaboradores cuando vuelva a mis tierras de Lahore.

El soberano calificó de maravillosa la narración de Beremiz. Dijo, además, que aquella singular división de tres entre tres debería ser conservada en los archivos del Califato, porque la narración de Beremiz, por su elevada enseñanza moral, merecía ser escrita con letras de oro en las alas transparentes de una mariposa blanca del Cáucaso[207].

A continuación tomó la palabra el sexto *ulema.*

Venía de Córdoba. Había vivido quince años en España y había escapado de ese país al caer en desgracia ante su soberano. Era un hombre de mediana edad, rostro redondo, fisonomía franca y risueña. Contaban sus admiradores que era muy hábil en escribir versos humorísticos y sátiras contra los tiranos. Durante seis años había trabajado en el Yemen como simple *mutavif*[208].

–¡Emir del Mundo! –dijo el cordobés dirigiéndose al Califa–. Acabo de oír con satisfacción la admirable fábula denominada la división de tres entre dos. La narración guarda a mi ver grandes enseñanzas y profundas verdades. Verdades claras como la luz del sol en la hora del adduhhr[209]. Confieso que los preceptos maravillosos toman forma viva cuando son presentados en forma de historias o de fábulas. Conozco una leyenda que no contiene divisiones, cuadrados ni fracciones, pero que encierra un problema de Lógica cuya solución sólo es posible mediante el raciocinio matemático. Narrada en forma de leyenda, veremos de qué manera resolverá el calculador el problema que ella contiene.

Entonces el sabio cordobés inició el relato:

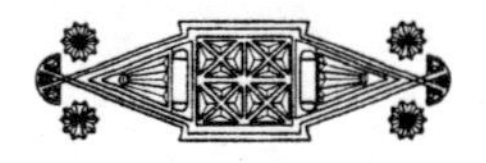

207. Cáucaso. Cordillera que se extiende entre el mar Negro y el mar Caspio.
208. *Mutavif.* Guía de los peregrinos en los Lugares Santos de Arabia.

Capítulo XXXI

El sabio de Córdoba narra una leyenda.
Los tres novios de Dahize. El problema de "los cinco discos".
Cómo Beremiz reprodujo el raciocinio de un novio inteligente.

–"Maçudi[210], el reconocido historiador árabe, en su obra de veintidós volúmenes cuenta de los siete mares, de los grandes ríos, de los elefantes célebres, de los astros, de las montañas, de los diferentes reyes de la China[211] y de otras mil maravillas, y no hace la mínima mención al nombre de Dahizé, única hija del rey Cassim "el Indeciso". Pero no importa. A pesar de esto, Dahizé no quedará olvidada, porque en los manuscritos árabes aparecen más de cuatrocientos mil versos en los que centenares de poetas alaban y exaltan a la famosa princesa. La tinta utilizada para describir la belleza de los ojos de Dahizé, transformada en aceite, sería el necesario para iluminar la ciudad de El Cairo durante medio siglo.

¡Dirán que estoy exagerando! ¡Pero no acepto esa idea, hermanos árabes! ¡La exageración es una manera de mentir!

Pasemos entonces al caso que narraba.

Dahizé, al cumplir dieciocho años y veintisiete días, fue pedida en matrimonio por tres príncipes cuyos nombres han quedado en la tradición: Aradin, Benefir y Comozán.

El rey Cassim estaba indeciso. ¿Cómo elegir entre los tres ricos pretendientes de su hija? Realizada la elección se presentaría la siguien-

210. Maçudi. Su nombre completo era Abul Hassan Alí Ben Al Husain al Maçudi. (864-936). Historiador y geógrafo árabe.
211. China. Nación de Asia, la más poblada del globo.

te consecuencia fatal. Él, el rey, ganaría un yerno, pero los pretendientes despechados se convertirían en rencorosos enemigos. ¡Mal negocio para un monarca cauteloso que nada más deseaba vivir en paz con su pueblo y con sus vecinos!

Al ser consultada, la princesa, dijo que se casaría con el más inteligente de sus tres pretendientes.

La decisión de la joven fue bien recibida por el rey Cassim. Así el caso que parecía tan delicado presentaba una solución muy simple. El rey mandó llamar a los cinco sabios más sabios de la corte y pidió que sometieran a los tres príncipes a un riguroso examen.

¿Quién sería el más inteligente?

Finalizadas las pruebas, los sabios entregaron al soberano un informe detallado. Los tres príncipes eran muy inteligentes. Conocían de manera notable las Matemáticas, la Literatura, la Astronomía y la Física. Eran capaces de resolver complicados problemas de ajedrez, cuestiones de Geometría, difíciles enigmas y escritos cifrados.

–No encontramos manera –declaraban los sabios– de llegar a un resultado decisivo en favor de uno u otro.

Frente al fracaso de la ciencia, el rey resolvió preguntar a un *derviche* que tenía fama de ser conocedor de la magia y los secretos del ocultismo.

El sabio *derviche* dijo al rey:

–Conozco un solo medio que nos permitirá determinar quién es el más inteligente de los tres: ¡la prueba de los cinco discos! –Hagamos, entonces, esa prueba –exclamó el rey. Los tres príncipes fueron llevados al palacio. El *derviche*, enseñó cinco discos de madera muy fina, y dijo:

–Hay aquí cinco discos. Dos son negros y tres blancos. Todos tienen el mismo tamaño y son de idéntico peso, sólo los distingue el color.

Luego, un paje vendó con cuidado los ojos de los tres príncipes de manera que no pudieran ver ni la menor sombra.

El *derviche* tomó entonces al azar tres de los discos y colgó uno a la espalda de cada uno de los pretendientes.

Dijo después el *derviche*:

–Cada uno de ustedes lleva colgado sobre su espalda un disco cuyo color ignora. Serán interrogados uno tras otro. Quien descubra el color del disco que le cayó en suerte, será declarado vencedor y se casará con la bella Dahizé. El primero de los interrogados podrá ver los discos de los otros dos competidores. El segundo podrá ver el disco del último. Y éste tendrá que formular su respuesta sin ver nada. El que dé la respuesta cierta, para probar que no fue favorecido por el azar, tendrá que justificarla por medio de un razonamiento riguroso, metódico y simple. ¿Quién quiere ser el primero?

El príncipe Comozán habló enseguida:

–¡Quiero ser el primero!

El paje le sacó la venda de los ojos y el príncipe Comozán vio el color de los discos que colgaban sobre las espaldas de sus rivales.

Preguntado en secreto por el *derviche*, su respuesta fue equivocada. Una vez vencido tuvo que retirarse del salón. Comozán había visto los discos de sus rivales y había errado al decir de qué color era el suyo.

El rey, en voz alta, informó para que se enteraran los otros dos:

–¡El príncipe Comozán ha fracasado!

–¡Deseo ser el segundo! –dijo el príncipe Benefir.

Al ser descubiertos sus ojos, el segundo príncipe vio el color del disco que llevaba el príncipe competidor. Dio su respuesta, en secreto, al *derviche*.

El *derviche* movió negativamente su cabeza. El segundo príncipe también se había equivocado y fue invitado a abandonar el salón.

Quedaba el tercer competidor, el príncipe Aradín.

Cuando el rey anunció la derrota del segundo pretendiente, se acercó al trono con los ojos todavía vendados y dijo en voz alta el color exacto de su disco.

Terminada la narración, el sabio cordobés se dirigió hacia Beremiz y le dijo:

–El príncipe Aradín, para responder, hizo un razonamiento riguroso y perfecto que lo llevó a solucionar el problema de los cinco discos y conquistar la mano de la hermosa Dahizé.

Deseo saber:

1° ¿Cuál fue la respuesta de Aradín?

2° ¿Cómo descubrió el color de su disco?

Beremiz pensó unos instantes. Después, levantando el rostro, habló del caso con gran seguridad. Dijo:

–El príncipe Aradín, héroe de esta leyenda que acabamos de escuchar, respondió al rey Cassim, el padre de su amada:

"¡El disco es blanco!"

Al pronunciar tal afirmación tuvo la certeza lógica de que estaba diciendo la verdad.

"¡El disco es blanco!"

¿Cuál fue, entonces, el razonamiento que lo llevó a esta conclusión?

El razonamiento del príncipe Aradín fue el siguiente:

"El primer pretendiente, Comozán, antes de responder vio los dos discos de sus dos rivales. Vio los "dos" discos y equivocó la respuesta.

Recuerdo que de los cinco discos –"tres" blancos y "dos" negros– Comozán vio dos y, al responder, se equivocó.

¿Por qué se equivocó?

Se equivocó porque respondió en la inseguridad.

Si hubiera visto en sus rivales "dos discos negros" no se habría equivocado, no hubiese dudado y habría dicho al rey:

"Veo que mis dos rivales llevan discos negros y, como sólo hay dos discos negros, el mío debe ser blanco."

Y con esta respuesta hubiera sido declarado vencedor.

Pero Comozán se equivocó. Luego, los discos que vio entonces "no eran ambos negros".

Pero si esos dos discos vistos por Comozán no eran ambos negros, se presentaban dos posibilidades:

Primera: Comozán vio que los dos discos eran blancos.

Segunda: Comozán vio un disco negro y otro blanco.

De acuerdo con la primera hipótesis –reflexionó Aradín– mi disco "era blanco".

Queda por analizar la segunda hipótesis:

Vamos a suponer que Comozán vio un disco negro y otro blanco.

¿Quién tendría el disco negro?

Si el disco negro fuera mío –razonó Aradín– , el segundo concursante habría acertado.

El segundo pretendiente de la princesa habría razonado de esta manera:

Veo que el tercer competidor lleva un disco negro; si el mío fuera también negro, el primer candidato –Comozán–, al ver los dos discos negros no se habría equivocado. Luego, si se equivocó –pensaría el segundo candidato–, mi disco "es blanco".

¿Pero qué ocurrió?

El segundo príncipe también se equivocó. Quedó en la duda. Quedó en la duda por haber visto en mí –reflexionó Aradín– no un disco negro, sino un disco blanco.

Conclusión de Aradín:

–Mi disco también es blanco.

Esa fue la lógica del razonamiento de Aradín, concluyó Beremiz, para resolver con toda seguridad el problema de los cinco discos y por eso pudo afirmar: "mi disco es blanco".

El sabio cordobés pidió entonces la palabra y se dirigió al Califa diciendo que la solución dada por Beremiz había sido completa y era brillante.

El razonamiento, explicado con sencillez y claridad, era impecable para el más exigente de los geómetras.

Aseguró todavía el cordobés que los ahí presentes habían comprendido en su totalidad el problema de los cinco discos, y que serían capaces de repetirlo en cualquier albergue de caravanas del desierto.

Un jeque yemenita que se encontraba frente a mí, sentado sobre un cojín rojo; un hombre moreno cubierto de joyas murmuró a un amigo, oficial de la corte, que se hallaba a su lado:

–¿Escuchas capitán Sayeg? Dice ese cordobés que todos hemos entendido esa historia del disco blanco y del disco negro. Lo dudo. Confieso que no entendí palabra.

Y agregó:

–Únicamente a un derviche cretino se le ocurriría colocar discos blancos y negros en las espaldas de los tres pretendientes. ¿No crees? ¿No sería más práctico promover una carrera de camellos en el desierto? Así sería coronado el vencedor y todo terminaría sin complicaciones, ¿no crees?

El capitán Sayeg no dijo nada. Parecía no prestar atención al yemenita de pocas luces que quería solucionar un problema sentimental con una carrera de camellos por el desierto.

El Califa declaró a Beremiz vencedor de la sexta y penúltima prueba del concurso.

¿Tendrá nuestro amigo el calculador el éxito que esperábamos en la prueba séptima y final? ¿La pasaría con la misma eficacia?

¡Sólo Allah sabe la verdad!

Pero las situaciones parecían acompañar nuestros deseos.

Capítulo XXXII

Donde Beremiz es interrogado por un astrónomo del Líbano. La cuestión de "la perla más ligera". El astrónomo recita un poema en honor de Beremiz

Mohildín Ihaia Banabixacar –geómetra y astrónomo, uno de los hombres más destacados del Islam–, era el séptimo y último sabio que debía preguntar a Beremiz. Era nacido en el Líbano, su nombre podía leerse en cinco mezquitas y sus libros eran leídos hasta por los *rumís*[212]. Sería un trabajo imposible hallar bajo el cielo del Islam una inteligencia y una cultura más sólida y amplia.

Banabixacar, el erudito libanés, dijo con voz clara:

–Estoy asombrado con lo que llevo escuchado hasta ahora. El ilustre calculador persa acaba de demostrar el poder indiscutible de su talento. Quisiera entonces, colaborando en este brillante torneo, entregar al calculador Beremiz Samir un interesante problema que aprendí, siendo todavía un joven, de un sacerdote budista que cultivaba la Ciencia de los Números.

El Califa, interesado, exclamó:

–¡Escuchemos, hermano de los árabes! Oiremos con gran placer tu argumentación. Espero que el joven persa, que hasta ahora se ha mantenido firme en los dominios del Cálculo, pueda resolver la cuestión formulada por el viejo budista –*¡Allah se compadezca de ese idólatra!*

212. *Rumí.* Nombre que utilizan los musulmanes para llamar a los cristianos.

El sabio libanés vio que su propuesta había despertado la atención del rey, de los visires y de los nobles musulmanes, entonces habló, dirigiéndose con palabras serenas al Hombre que Calculaba:

–El problema podría denominarse "Problema de la perla más ligera". Se enuncia de esta manera:

–Un mercader de Benarés[213], en la India, tenía ocho perlas iguales por su forma, tamaño y color. De estas ocho perlas, siete tenían el mismo peso; la octava era un poco más ligera que las otras. ¿Cómo podría el mercader descubrir la perla más ligera e indicarla con toda seguridad utilizando la balanza y efectuando dos pesadas, sin disponer de pesa alguna? ¡Aquí el problema! ¡Que *Allah* te inspire, ¡oh calculador!, y halles la solución más sencilla y más perfecta!

Al escuchar el enunciado del problema de las perlas, un jeque de cabello blanco, con largo collar de oro, que se encontraba al lado del capitán Sayeg, dijo en voz baja.

–¡Qué problema tan ingenioso! ¡El sabio libanés es admirable¡ ¡Gloria al Líbano, el País de los Cedros!

Beremiz Samir, luego de meditar unos instantes, dijo con voz firme:

–No creo difícil el oscuro problema budista de la perla más leve. Un razonamiento bien orientado puede revelar desde luego la solución.

Analicemos: tengo ocho perlas iguales. Iguales en la forma, en el color, en el brillo y en el tamaño. Totalmente iguales. Alguien aseguró que entre esas ocho perlas destacaba una por ser un poquito más leve que las otras, y que las otras siete tenían el mismo peso. Para descubrir la más ligera sólo hay un camino: usar una balanza. Para pesar perlas se necesita una balanza delicada y fina, de brazos largos y platillos muy ligeros. La balanza debe ser sensible. Y todavía más: la

213. Benarés. Ciudad sagrada de la India, a orillas del Ganges.

balanza deber ser exacta. Tomando las perlas de dos en dos y colocándolas en la balanza –una en cada platillo–, se podría descubrir, por lógica, la perla más ligera. Pero si la perla más ligera fuera una de las dos últimas, estaría obligado a efectuar cuatro pesadas. El problema exige que la perla más ligera sea descubierta y determinada en dos pesadas, cualquiera que sea la posición que ocupe. La solución que creo más sencilla es la siguiente:

Dividamos las perlas en tres grupos y llamemos a cada uno de estos grupos A, B y C.

El grupo A tendrá tres perlas; el grupo B, tendrá también tres perlas; el grupo C estará formado por las dos restantes. Con sólo dos pesadas descubriré así cual es la perla más ligera, sabiendo que siete pesan exactamente lo mismo.

Pongamos los grupos A y B en la balanza y coloquemos un grupo en cada platillo: efectuaremos así la primera pesada. Pueden ocurrir dos cosas:

1° que los grupos A y B presenten pesos iguales.

2° que presenten pesos desiguales al ser uno de ellos, A por ejemplo, más ligero.

En la primera hipótesis –A y B con el mismo peso– podemos asegurar que la perla más ligera no pertenece al grupo A ni figura en el grupo B. La perla más ligera deberá estar entre las que forman el grupo C.

Tomemos, entonces, esas dos perlas que forman el grupo C y pongámoslas en los platillos de la balanza –segunda pesada–. Esta indicará cuál es la más ligera y el caso quedará así resuelto.

En la segunda hipótesis –A más ligero que B– queda claro que la perla más ligera está en el grupo A, o sea: es una de las tres perlas del grupo menos pesado. Tomemos entonces dos perlas cualesquiera del grupo A y dejemos la otra de lado. Pesemos esas dos perlas –segunda pesada–. Si la balanza queda en equilibrio, la tercera perla –la que dejamos de lado– es la más ligera. Si hubiera desequilibrio, la perla más ligera está en el platillo que se alza.

De esta manera, ¡oh príncipe de los Creyentes!, queda resuelto el "problema de la perla más ligera" indicado por el ilustre sacerdote budista y presentado aquí por el geómetra libanés –terminó Beremiz.

El astrónomo Banabixacar, tildó de impecable la solución presentada por Beremiz y remató su veredicto de la siguiente forma:

–Sólo un verdadero geómetra podría razonar con tanta perfección. La solución que acabo de escuchar en relación con el "problema de la perla más ligera" es un notable poema de belleza y sencillez.

En homenaje al Calculador, el viejo astrónomo del País de los Cedros, recitó los siguientes versos de Omar Khayyam, poeta y gran geómetra de Persia:

Si una rosa de amor tú has guardado
bien en tu corazón.
Si a un Dios supremo y justo dirigiste
tu humilde oración.
Si con la copa alzada
cantas un día tu alabanza a la vida.
No has vivido en vano.

Beremiz agradeció las palabras dichas en este homenaje inclinando un poco la cabeza y llevando su mano derecha al pecho, a la altura del corazón.

¡Qué belleza era el poema de Omar Khayyam! Sí, realmente:
¡No has vivido en vano, oh Omar Khayyam!

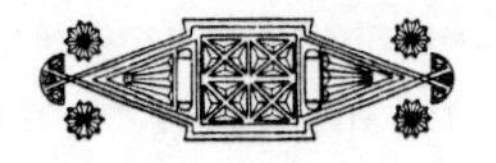

Capítulo XXXIII

La ofrenda que hizo al Hombre que Calculaba el califa Al-Motacén. Beremiz no acepta oro, ni cargos y tampoco palacios. Una petición de mano. El problema de "los ojos negros y azules". Beremiz determina el color de los ojos de cinco esclavas.

Finalizada la exposición de Beremiz sobre las cuestiones propuestos por el sabio libanés, el sultán, luego de hablar en secreto con dos de sus consejeros, dijo: –Por tu respuesta, ¡oh calculador!, a todas las preguntas, te hiciste merecedor del premio que prometí. Debes elegir: ¿Quieres veinte mil dinares de oro o prefieres un palacio en Bagdad? ¿Deseas gobernar una provincia o bien eliges el cargo de visir en mi corte?

–¡Rey bondadoso! –respondió Beremiz–. No quiero riquezas, títulos, honores o regalos porque pienso que de nada valen los bienes materiales. La fama obtenida a través de los cargos de prestigio no me importa, porque mi espíritu no contempla ansioso la gloria efímera del mundo. Pero si tu deseo es hacer que me envidien todos los musulmanes, mi petición es la siguiente: deseo casarme con la joven Telassim, hija del jeque Iezid Abul-Hamid.

El asombro fue total ante la petición formulada por el calculador. Por los comentarios que pude escuchar supe que los musulmanes allí presentes quedaron convencidos de que Beremiz estaba loco.

–Está loco –dijo tras de mí el viejo flaco de la túnica azul–.¡Está loco! Desprecia la riqueza, rechaza la gloria. ¡Y todo por casarse con una mujer que nunca vio!

–Un hombre alucinado –comentó el hombre de la cicatriz–. Repito, alucinado. Pide una novia que tal vez lo deteste. *¡Por Allah, Al Latif!*[214]

–¿Será la *baraka* de la alfombra azul? –murmuró en voz baja y con malicia el capitán Sayeg–. ¿A que ha sido la *baraka* de la alfombra?

–¡Nada de *baraka*! –exclamó en voz muy baja el viejecito–. ¡No hay *baraka* en condiciones de vencer un corazón de mujer!

Yo escuchaba los comentarios aparentando tener la atención muy lejos de allí.

Cuando escuchó la petición de Beremiz, el Califa frunció el entrecejo y se quedó muy serio. Llamó a su lado al jeque Iezid y ambos conversaron en secreto durante unos instantes.

¿Qué podía resultar de aquella consulta? ¿Estaría el jeque de acuerdo con el inesperado casamiento de su hija?

Luego de unos instantes el Califa habló así, en el lugar había un profundo silencio:

–No pongo, ¡oh calculador!, ningún obstáculo a tu romántico y feliz matrimonio con la hermosa Telassim. Mi preciado amigo, el jeque Iezid, a quien acabo de consultar, te acepta por yerno. Sabe que eres hombre de carácter, educado y profundamente religioso. También es verdad que la bella Telassim estaba prometida a un jeque damasceno que se encuentra combatiendo en España. Pero si ella desea cambiar el rumbo de vida, no seré yo quien cambie su destino. *¡Maktub! ¡Estaba escrito! La flecha, suelta en el aire, exclama llena de alegría: "Por Allah, ¡soy libre!, ¡soy libre!". Pero se engaña pues tiene su destino marcado por la puntería del tirador. ¡Así es la joven Flor del Islam!* Deja a un jeque rico y noble que mañana podría ser gran visir o gobernador, y acepta por esposo a un sencillo calculador persa. *¡Maktub! ¡Sea lo que Allah quiera!*

214. *¡Por Allah, Al Latif!* ¡Por Dios, El Revelador!

El poderoso Emir de los árabes, luego de una breve pausa, prosiguió en tono enérgico:

—Pero hay una condición. Deberás, ¡oh eximio matemático!, resolver ante los nobles presentes un curioso problema inventado por un *derviche* de El Cairo. Si resuelves el problema, entonces te casarás con Telassim. De lo contrario, tendrás que olvidar para siempre esa fantasía loca de beduino borracho y nada recibirás de mí. ¿Aceptas las condiciones?

—¡Emir de los Creyentes! —dijo Beremiz con voz firme—. Sólo quiero conocer el problema del que me hablas para poder solucionarlo con los prodigiosos recursos del cálculo y del análisis.

El Califa respondió:

—El problema es el siguiente: tengo cinco hermosas esclavas. Las compré hace pocos meses a un príncipe mongol. De esas cinco encantadoras jóvenes, dos tienen los ojos negros y las tres restantes los ojos azules. Las dos esclavas de ojos negros dicen siempre la verdad cuando se las interroga. Las esclavas de ojos azules son en cambio mentirosas. Dentro de unos minutos esas cinco jóvenes serán conducidas a este salón: todas llevan el rostro cubierto por un tupido velo. El *haic*[215] que les cubre la cara hace imposible descubrir el menor de sus rasgos. Tendrás que descubrir e indicar, sin error, cuáles son las que tienen los ojos azules y cuáles tienen ojos negros. Podrás interrogar a tres de las cinco esclavas, pero únicamente podrás hacer una pregunta a cada joven. Con las respuestas obtenidas tendrás que solucionar el problema y deberás justificar la solución con todo el rigor matemático. Las preguntas, ¡oh calculador!, deberán ser de naturaleza que sólo las propias esclavas sean capaces de responder con perfecto conocimiento.

Poco tiempo después, ante la mirada curiosa de los presentes, entraron al salón de audiencias las cinco esclavas de Al-Motacén. Es-

215. *Haic.* Velo con el que se cubren el rostro las mujeres musulmanas.

taban cubiertas con largos velos negros, desde la cabeza hasta los pies. Parecían fantasmas del desierto.

–Aquí están las esclavas –dijo el Emir con orgullo–. Aquí están las cinco jóvenes de mi harén. Dos, como ya dije, tienen los ojos negros y siempre dicen la verdad. Las otras tres tienen los ojos azules y mienten.

–¡Miren qué desgracia! –dijo el viejecito flaco– ¡Fíjense en mi mala suerte! La hija de mi tío tiene los ojos negros, muy negros, ¡y se pasa el día mintiendo!

La observación no era oportuna. El momento era grave y no admitía bromas. Afortunadamente nadie hizo el menor caso a las palabras del viejo impertinente. Beremiz supo que había llegado el momento decisivo de su carrera, el punto culminante de su vida. El problema presentado por el Califa de Bagdad, además de original y difícil, podría presentar dificultades.

El calculador podía preguntar libremente a tres de las muchachas. ¿Cómo iba a poder descubrir por las respuestas el color de los ojos de todas ellas? ¿A cuáles debería interrogar? ¿Cómo elegir a las dos que iban a quedar fuera del interrogatorio?

Había una indicación precisa: las de ojos negros siempre dicen la verdad; las otras tres –de ojos azules– mienten invariablemente.

¿Alcanzaría con eso?

Si el calculador interroga a una de ellas, la pregunta debería ser de tal naturaleza que sólo la esclava interrogada supiera responder. Obtenida la respuesta, seguiría en la misma duda. ¿Habría dicho la verdad la interrogada? ¿Habría mentido? ¿Cómo comprobar el resultado?

El problema era serio.

Las cinco mujeres se colocaron en fila en medio del suntuoso salón. Todo era silencio. Nobles musulmanes, jeques y visires seguían con vivo interés la solución de este nuevo y singular capricho del monarca.

El calculador se acercó a la primera esclava que estaba en el extremo derecho de la fila y preguntó con voz tranquila:

–¿De qué color tienes tus ojos?

¡Por Allah! La esclava respondió en lengua china, desconocida para los musulmanes presentes. Yo no entendí ni una palabra de la respuesta.

Ordenó entonces el Califa que las respuestas fueran dadas en árabe puro y en lenguaje simple y preciso.

Este fracaso inesperado agravó la situación de Beremiz. Disponía de dos preguntas más, porque la primera se consideraba enteramente perdida para él.

Beremiz se volvió hacia la segunda esclava y la interrogó:

–¿Cuál es la respuesta que acaba de dar tu compañera?

La segunda esclava respondió:

–Dijo: "Mis ojos son azules".

La respuesta no aclaraba nada. ¿Habría dicho la verdad esta segunda esclava o estaría mintiendo? ¿Y la primera?, ¿quién podría confiar en sus palabras?

La tercera esclava, que estaba en el centro de la fila, fue interrogada seguidamente por Beremiz:

–¿De qué color son los ojos de estas dos jóvenes a las que acabo de interrogar?

A esta pregunta –la última que podía ser formulada– respondió la esclava:

–La primera tiene los ojos negros y la segunda los ojos azules.

¿Sería verdad? ¿Habría mentido?

Beremiz, luego de meditar un momento, se acercó al trono y dijo:

–Comendador de los Creyentes, Sombra de *Allah* en la Tierra: el problema está resuelto por completo y su solución puede ser comprobada con absoluto rigor matemático. La primera esclava –a la derecha– tiene los ojos negros. La segunda tiene los ojos azules. La tercera, los ojos negros, y las dos últimas tienen los ojos azules.

Levantados los velos y retirados los pesados haics, las jóvenes aparecieron sonrientes, con los rostros descubiertos. Se oyó un *¡allah!* de sorpresa en el gran salón. ¡El talentoso Beremiz había dicho con precisión admirable el color de los ojos de todas ellas!

–*¡Por los méritos del Profeta!* –exclamó el rey–. Llevo planteando este problema a centenares de sabios, ulemas, poetas y escribas y, al fin, es este modesto calculador el único que lo resuelve. ¿Cómo llegaste a la solución? ¿Cómo demuestras que en la respuesta final no había la menor posibilidad de error?

Interrogado por el generoso monarca, el Hombre que Calculaba contestó:

–Al hacer la primera pregunta: "¿Cuál es el color de tus ojos?", sabía que la respuesta de la esclava sería fatalmente la siguiente: "¡Mis ojos son negros!". Porque si tuviera los ojos negros diría la verdad, es decir "Mis ojos son negros", y si tuviera los ojos azules, mentiría y por lo tanto diría también: "Mis ojos son negros". Luego la respuesta de la primera esclava solo podía ser única, muy concreta y absolutamente cierta e indudable: "¡Mis ojos son negros!"

Hecha entonces la pregunta, aguardé aquella respuesta que ya conocía. La esclava, al responder en un dialecto desconocido, me ayudó de manera prodigiosa. Realmente, aparentando no haber entendido el idioma, pregunté a la segunda esclava:

"¿Cuál fue la respuesta que acaba de darme tu compañera?". Y la segunda me dijo: "Sus palabras fueron: Mis ojos son azules". Esta respuesta venía a demostrarme que la segunda mentía, porque como queda ya indicado, en ningún caso podía ser esa la respuesta de la primera esclava. Ahora bien, si la segunda esclava mentía, tenía los ojos azules. Fíjate, ¡oh rey!, en esta particularidad notable para resolver el complicado enigma. De las cinco esclavas, había ya en este momento al menos una cuya incógnita había quedado resuelta con absoluto rigor matemático: era la segunda. Había mentido, luego tenía los ojos azules. Quedaban entonces, cuatro incógnitas del problema.

Aproveché la tercera y última pregunta y me dirigí a la esclava que se hallaba en el centro de la fila: "¿De qué color son los ojos de las dos jóvenes a las que acabo de interrogar?". Y obtuve la siguiente respuesta: "La primera tiene los ojos negros y la segunda tiene los ojos azules". Con relación a la segunda yo ya no tenía la menor duda. ¿Qué conclusión había de extraer entonces de la tercera respuesta recibida? Muy sencilla. La tercera esclava no mentía pues acababa de confirmarme lo que ya sabía: que la segunda tenía los ojos azules. Si la tercera no mentía, sus ojos eran negros y sus palabras eran expresión de la verdad, es decir: la primera esclava tenía los ojos negros. Fue fácil deducir que las dos últimas, por exclusión –a semejanza de la segunda– tenían los ojos azules.

Aseguro, ¡oh rey del Tiempo!, que en este problema, aunque no aparecen fórmulas, ecuaciones o símbolos algebraicos, la solución tiene que ser lograda por medio de un razonamiento riguroso y puramente matemático.

Así quedaba resuelto el problema del Califa. Pero Beremiz debería resolver muy pronto otro problema mucho más difícil: Telassim, el sueño de una noche de Bagdad.

¡Alabado sea Allah, que creó la Mujer, el Amor
y las Matemáticas!

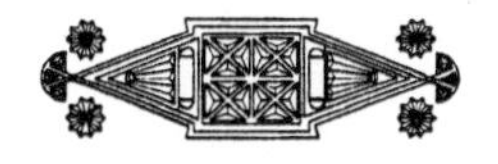

Capítulo XXXIV

"Sígueme –dijo Jesús–. Yo soy el camino que debes pisar,
la verdad en que debes creer, la vida que debes esperar.
Yo soy el camino sin peligro, la verdad sin error,
la vida sin muerte."

En la tercera luna del mes de *Rhegeb*[216] del año 1258, una horda asesina de tártaros y mongoles atacó la ciudad de Bagdad. Los asaltantes eran comandados por un príncipe mongol, nieto de Gengis Khan[217].

El jeque Iezid *–¡Que Allah tenga en su gloria!–* murió combatiendo junto al puente de Solimán. El califa Al-Motacén fue hecho prisionero y luego fue degollado por los mongoles.

La ciudad fue totalmente arrasada. La maravillosa Bagdad, durante quinientos años centro de las ciencias, las letras y las artes, fue transformada en una ciudad en ruinas.

Por suerte no asistí a ese crimen que los bárbaros conquistadores cometieron contra la civilización. Tres años antes, luego de morir el generoso príncipe Cluzir Schá *–a quien Allah tenga en su paz–* viajé a Constantinopla junto con Telassim y Beremiz.

Aclaro que Telassim era cristiana antes de su casamiento, y que en pocos meses logró que Beremiz abandonara la religión de Mahoma y adoptara el Evangelio de Jesús, el Salvador.

Beremiz quiso ser bautizado por un obispo que conociera la Geometría de Euclides.

216. *Rhegeb*. Séptimo mes del año lunar de los musulmanes.
217. Gengis Khan. (1154-1227). Fundador del Imperio Mongol.

Lo visito todas las semanas. A veces envidio la felicidad con que vive junto a su esposa y sus tres hijos.

Al mirar a Telassim, recuerdo las palabras del poeta:

Por tu gracia, mujer, conquistaste todos los corazones.
Tú eres la obra sin mácula, salida de las manos del Creador.
Y todavía más:
Esposa de puro origen. ¡Oh perfumada! Bajo las notas de tu voz se alzan las piedras danzando y vienen en orden a erigir un armonioso edificio.
Cantad, ¡oh aves!, vuestros cánticos más puros. Brilla, ¡oh sol!, con tu más dulce luz.
Deja volar tus flechas, ¡oh Dios del Amor...!
Mujer, es grande tu felicidad: bendito sea tu amor.

No quedan dudas. De todos los problemas resueltos, el que mejor resolvió Beremiz fue el de la Vida y el Amor.

Así termina, sin fórmulas y sin números, la sencilla historia del Hombre que Calculaba.

La felicidad verdadera –según afirmó Beremiz– sólo puede existir a la sombra de la religión cristiana.

¡Alabado sea Dios!
¡Llenos están el Cielo y la Tierra
de la majestad de su obra!

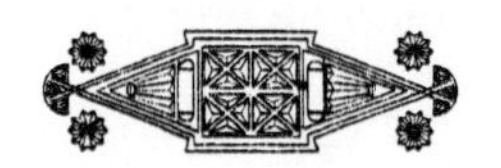

Índice

CAPÍTULO I 7

En el que narro las singulares circunstancias de mi encuentro con un viajero, camino de la ciudad de Samarra, en la ruta a Bagdad. Qué hacía dicho viajero y cuáles fueron sus palabras.

CAPÍTULO II 9

Beremiz Samir, el Hombre que Calculaba, relata la historia de su vida.
Cómo me enteré de los cálculos prodigiosos que practicaba y cómo nos convertirnos en compañeros de viaje.

CAPÍTULO III 13

Donde se cuenta la particular aventura de los treinta y cinco camellos que debían ser repartidos entre tres hermanos árabes. Cómo Beremiz Samir, el Hombre que Calculaba, logró un trato que parecía casi imposible, dejando totalmente conformes a los tres interesados.
La ganancia sorpresiva que obtuvimos en la transacción.

CAPÍTULO IV 17

Sobre el encuentro con un rico jeque, que había sido herido y que estaba hambriento. La proposición que nos hizo sobre los ocho panes que teníamos y cómo se resolvió, en un instante, el justo reparto de las ocho monedas que obtuvimos a cambio. Las tres divisiones de Beremiz: la división simple, la división cierta y la división perfecta. Elogiosas palabras que un destacado visir ofreció al Hombre que Calculaba.

CAPÍTULO V 23

De los maravillosos cálculos realizados por Beremiz Samir en el camino hacia El Ánade Dorado, una hostería, para descubrir el número preciso de las palabras dichas durante el transcurso de nuestro viaje, y cuál sería el promedio de las palabras pronunciadas por minuto. Donde el Hombre que Calculaba da solución a un problema y se determina la deuda real de un joyero.

CAPÍTULO VI 31

De lo acontecido durante la visita al visir Maluf. Del encuentro con el poeta Iezid, quien no creía en las maravillas del cálculo. El Hombre que Calculaba cuenta un grupo de camellos de forma muy original. La edad de la novia y un camello sin oreja. Beremiz halla la "amistad cuadrática" y cuenta del Rey Salomón.

CAPÍTULO VII 39

De nuestra llegada a la plaza de los mercaderes. Beremiz y el turbante azul. El caso de "los cuatro cuatros". La cuestión de los cincuenta dinares. Beremiz soluciona la disputa y por ello recibe un obsequio.

CAPÍTULO VIII 47

Donde Beremiz habla de geometría. Del encuentro con el jeque Salem Nasair y los criadores de ovejas, sus amigos. Beremiz soluciona la cuestión de las veintiuna vasijas y otro problema causando asombro entre los mercaderes.
Cómo explicar la desaparición de un dinar en una cuenta de treinta.

CAPÍTULO IX 57

Donde se cuenta la visita de nuestro amigo, el jeque Iezid, el poeta. La mujer y las matemáticas. Beremiz es convocado para enseñar matemáticas a una joven hermosa y misteriosa. Beremiz habla de su amigo y maestro, el sabio Nó-Elim.

CAPÍTULO X 63

De nuestro arribo al palacio de Iezid. El molesto Tara-Tir no confía en los cálculos de Beremiz. Los pájaros enjaulados y los números perfectos. El Hombre que Calculaba exalta la bondad del jeque. De la música que llegó a nuestros oídos, llena de melancólica añoranza como el canto de un ruiseñor.

CAPÍTULO XI 71

Del comienzo de Beremiz con las clases de Matemáticas. La frase de Platón.
Dios es la unidad. ¿Qué es medir? Las partes de la Matemática. La Aritmética y los números. El Álgebra y las relaciones. La Geometría y las formas. La

mecánica y la astronomía. El sueño del rey Asad-Abu-Carib.
La "alumna invisible" envía una oración a Allah.

CAPÍTULO XII 79
En el que Beremiz muestra un gran interés por el juego de la cuerda. La curva del Marazán y las arañas. Pitágoras y el círculo. El encuentro con Harim Namir. El problema de los sesenta melones. De cómo el vequil perdió la apuesta. La voz del muezin ciego llama a los creyentes a la oración del mogreb.

CAPÍTULO XIII 85
De la visita al palacio del califa y de la audiencia concedida. De los poetas y la amistad. La amistad entre los hombres y la amistad entre los números. El Hombre que Calculaba es ponderado por el califa de Bagdad.

CAPÍTULO XIV 93
De lo sucedido en el salón del trono. Los músicos y las bailarinas gemelas.
Cómo Beremiz reconoció a Iclimia y Tabessa. La envidia de un visir, su critica a Beremiz. El elogio del Hombre que Calculaba para los teóricos y los soñadores. Es declarada por el rey la victoria de la teoría sobre la vulgaridad de lo inmediato.

CAPÍTULO XV 99
Nuredin regresa al palacio del califa con la información que obtuvo de un imán. Cómo es que vivía el calígrafo en la pobreza. Un cuadro completo de números y el tablero de ajedrez. Beremiz diserta sobre los cuadrados mágicos.

Un ulema hace una consulta. El califa desea que Beremiz narre la leyenda del "juego del ajedrez".

CAPÍTULO XVI 105

Donde Beremiz Samir relata al califa de Bagdad la famosa leyenda sobre elnacimiento del juego del ajedrez.

CAPÍTULO XVII 115

El Hombre que Calculaba es consultado en innumerables ocasiones. Creencias y supersticiones. Unidades y figuras. El encuentro entre el contador de historias y el calculador. El problema de las 90 manzanas. La ciencia y la caridad.

CAPÍTULO XVIII 125

Del regreso al palacio del jeque Iezid. Poetas y letrados en una reunión. El homenaje al maharajá de Lahore. La Matemática en la India. La leyenda de "la perla de Lilavati". Los grandes tratados hindúes sobre las Matemáticas.

CAPÍTULO XIX 137

Donde se cuentan los elogios que el príncipe Cluzir dedicó a el Hombre que Calculaba. Beremiz soluciona el problema de los tres marineros y descubre el misterio de una medalla. La generosidad del maharajá de Lahore.

CAPÍTULO XX 145

De cómo Beremiz dio la segunda lección de Matemáticas. Número y sentido del número. Las cifras. Sistemas de numeración. La numeración decimal.

El cero. Escuchamos otra vez la voz de la alumna invisible. El gramático Doreid cita un poema.

CAPÍTULO XXI 153

Empiezo a guardar textos sobre medicina. Importantes progresos de la alumna invisible. Beremiz es convocado para resolver un difícil problema. El rey Mazim y las prisiones de Korassan. Sanadik, el contrabandista. Un verso, un problema y una leyenda. La justicia del rey Mazim.

CAPÍTULO XXII 161

De lo sucedido durante nuestra visita a la prisión de Bagdad. Cómo Beremiz solucionó el problema de la mitad de los años de vida de Sanadik. El instante de tiempo. La libertad condicional. Los fundamentos de una sentencia.

CAPÍTULO XXIII 167

De lo sucedido cuando recibimos una distinguida visita. Palabras del
príncipe Cluzir Schá. Una invitación. Beremiz soluciona un nuevo problema. Las perlas del rajá.Un número cabalístico. Se determina nuestro viaje a la India.

CAPÍTULO XXIV 175

El rencor de Tara-Tik. El epitafio de Diofanto. El problema de Hierón. Beremiz se libera de un oscuro enemigo. Una carta del capitán Hassan. Los cubos de 8 y 27. La pasión por el cálculo. La muerte de Arquímedes.

CAPÍTULO XXV 181

Beremiz es llamado a palacio. Una extraña sorpresa. Un torneo difícil, uno contra siete. La restitución del anillo. Beremiz recibe como obsequio una alfombra de color azul. Versos que conmueven a un corazón apasionado.

CAPÍTULO XXVI 187

Del encuentro con un famoso teólogo. La cuestión de la vida futura. Todo musulmán tiene que conocer el Libro Sagrado. ¿Cuántas palabras hay en el Corán? ¿Cuántas letras? El nombre de Jesús es citado 19 veces. El engaño de Beremiz.

CAPÍTULO XXVII 191

De qué manera un sabio historiador pregunta a Beremiz. El geómetra que no podía mirar al cielo. La Matemática en Grecia. Elogio de Eratóstenes.

CAPÍTULO XXVIII 195

Continúa el torneo. El tercer sabio interroga a Beremiz. La falsa inducción.
Beremiz comprueba que un principio falso puede estar indicado por ejemplos verdaderos.

CAPÍTULO XXIX 199

Escuchamos una antigua leyenda persa. Lo material y lo espiritual. Los problemas humanos y los trascendentales. La multiplicación más famosa.
El sultán censura la intolerancia de los jeques islamitas.

CAPÍTULO XXX 203

El Hombre que Calculaba cuenta una leyenda. El tigre propone la división de "tres entre tres". El chacal indica la división de "tres entre dos". Cómo calcular el cociente en la Matemática del más fuerte. El Jeque del gorro verde elogia a Beremiz.

CAPÍTULO XXXI 209

El sabio de Córdoba narra una leyenda. Los tres novios de Dahize. El problema de "los cinco discos". Cómo Beremiz reprodujo el raciocinio de un novio inteligente.

CAPÍTULO XXXII 215

Donde Beremiz es interrogado por un astrónomo del Líbano. La cuestión de "la perla más ligera". El astrónomo recita un poema en honor de Beremiz.

CAPÍTULO XXXIII 219

La ofrenda que hizo al Hombre que Calculaba el califa Al-Motacén. Beremiz no acepta oro, ni cargos y tampoco palacios. Una petición de mano. El problema de "los ojos negros y azules". Beremiz determina el color de los ojos de cinco esclavas.

CAPÍTULO XXXIV 227

"Sígueme –dijo Jesús–. Yo soy el camino que debes pisar, la verdad en que debes creer, la vida que debes esperar. Yo soy el camino sin peligro, la verdad sin error, la vida sin muerte."

Esta edición se terminó de imprimir en los talleres gráficos
G y G, Udaondo 2646, Lanús Oeste,
Provincia de Buenos Aires durante el mes de Diciembre de 2006